あのSFはどこまで実現できるのか

テクノロジー名作劇場

米持幸寿
Yonemochi Yukihisa

JN068524

インターナショナル新書　118

はじめに

　"おじさんホイホイ"——2017年5月に本書のもととなったウェブ連載の第1回目がIT情報サイト「@IT（アットマーク・アイティ）」で公開されたとき、サイト内で週間ランキングが1位となり、そのように評価された。「テクノロジー名作劇場」というシリーズで始まったそのウェブ連載は、当初あきらかに、昭和に子供時代を過ごした私と近い年代に刺さる内容だった、といえるだろう。本書は、そのシリーズの記事を集大成したものである。

　本書で取り上げた作品のいくつかは私も子供時代に観たり読んだりしていたテレビシリーズや漫画だ。当時の私は竹ひごを曲げて紙を貼る模型飛行機を作ったり、タミヤの「楽しい工作シリーズ」でタンクなどを作っていた工作少年だった。小学校高学年くらいになると、家に出入りしていた電気工事の職人さんから毎月もらっていた「ラジオの製作」という雑誌を読んでは、電子工作をしたり、壊れたテレビを拾ってきては修理したりしていた。電子部品のトランジスタが100円、炭素抵抗が5円〜20円というような価格だったため、家庭が貧困のさなかにあった私には絶好の趣味となった。

　「ラジオの製作」には Apple II などの広告が掲載さ

れていて、非常に高い価格で売られていた。そのころ、漫画やアニメに出てくる穿孔紙テープを吐き出すコンピューターシステムなどは自分にとってSFの世界そのものだった。今でもそれらのオープニングテーマを聴くと鼻の奥にハンダのヤニの匂いが蘇る。記憶と匂いには強い結びつきがあることを感じる。

その後、私の人生を大きく左右する映画『2001年宇宙の旅』との運命的な出会いをはたした。作品内に登場するコンピューター・HAL 9000に大いに刺激を受け、その名の由来であるといわれるIBM社（その詳細は第5章の冒頭に記した）へのあこがれを強くし、日本IBM社への就職実績の高さと、学費が安かったことを理由に国立の技術高専へ進学した。自動制御班というカリキュラムに参加し、微細操作を目的としたロボットハンドの試作を研究として行った。NEC PC-8801mkIIという、今となっては古いパソコンを、自分専用に研究用として手に入れソフトウェア開発にのめり込んでいった。ワイヤーフレームと呼ばれる、線だけでグラフィックを描くことにもずいぶん挑戦した。

初志貫徹で日本IBMに入社し、最終的には基礎研究所の研究員として働くこともできた。私のいちばんの興味ポイントは音声対話型のシステムインターフェースである。この想いの原点はHAL 9000にある。日本IBMに入社した当時はメインフレームコンピューター花形時代であり、コンピューターはアナログデータ

に弱かった。1980年代後半になってようやくパソコンにDSP（Digital Signal Processor）が搭載され、音響データを扱えるようになった。SFだった「喋るコンピューター」が現実味を帯びてきているのを感じた。それまでは「将来コンピューターを喋らせるために役に立つはず」と思われる最新技術を自分で選択して仕事としてきた。しかし、喋らせることに直接チャレンジしてこなかった。

　アイティメディア社の鈴木麻紀氏からあるネット記事のインタビューを受けた際、この話になった。「なぜやらないんですか」と尋ねられ、返答に困った。おそらく、その10年前ならすらすらと答えられただろう。だが、答えが見つからないのだ。やらない理由が見つからないならやるほかない。これがきっかけとなり、音声対話に関する研究で有名なホンダ・リサーチ・インスティチュート・ジャパンへの転職を決めた。そこで5年ほど試作や研究戦略立案などの室長をした。音声対話の基礎を身につけるには絶好の場所だった。やがて、その分野で博士号をとり、今は事業を立ち上げ、企業向けに音声対話などの技術提案活動をしている。鈴木氏に背中を押されて、私は今ここにいる。

「テクノロジー名作劇場」シリーズの起案者は鈴木氏だ。ホンダに転職して2年ほど経ったころ、彼女から依頼を受けた。一緒に名作の候補を作り、できるかぎり多くの人の郷愁に刺さるものを選びつつ、執筆する

ことになった。

　私はIT技術者であり音声対話と言語処理の専門家なので、それらの解説は他の分野よりいくらか詳しくしている。加えて、日本IBMはコンピューターメーカーだが、金融、流通、製造、食品、農業など非常に幅広い分野のユーザーの先進ビジネスに触れることができた。ホンダ・リサーチ・インスティチュート・ジャパンでは研究戦略室長をしたこともあり、脳科学、バイオなどさまざまな研究分野に触れる機会があった。マサチューセッツ工科大学（MIT）へ2回ほど視察に行く機会もあった。本書の解説にはこれらの経験も役立っている。

　私と同じ年代の人であれば、いくつかの古い作品は主題歌と連動しているに違いない。ぜひ口ずさみ、そのアニメを観ていたころの甘く、あるいは苦い思い出を紡ぎ出して酒のあてにでもしていただきたい。若い世代の方には古い作品を知るきっかけになるだろう。今日ではDVD、漫画喫茶、サブスクリプションサービスなどさまざまな方法で古い作品も鑑賞できる。昭和の時代に流行っていた作品を探し出して、その世界に飛び込んでいただければ幸いである。

目次

第1章

『バビル2世』

1971〜73年
『週刊少年チャンピオン』連載
著者：横山光輝
少年チャンピオンコミックス
（秋田書店）

『バビル2世』は、1971〜73年に『週刊少年チャンピオン』（秋田書店）で連載された横山光輝の漫画だ。超能力者（エスパー）であり、外星人の子孫の少年・バビル2世（浩一）を主人公としたSF作品である。

1973年に放映されたテレビアニメ版も人気を博し、主題歌の歌詞を思い浮かべるあなたは現役視聴世代とお見受けする。その歌詞、第2コーラスの始まりには「コンピューター」という単語が出てくる。とても賢くて頼りになる、テクノロジーに対する昭和時代のイメージをほうふつとさせる "コンピューター" だ。バビル2世は、このコンピューターが稼働するバベルの塔を拠点とし、ロデム、ポセイドン、ロプロスという「三つのしもべ」とともに、自分と同じ外星人の血を引きながら世界征服をもくろむヨミと戦う。

本章では、バベルの塔を守るコンピューターの技術を、2023年現在の技術になぞらえて考察していく。なお、原作は通信の多くを「無電」と呼んだり、録画したメディアを「フィルム」、喋るデバイスが「テープ」、コンピューターからの出力が「紙テープ」だったりしているが、それらにはあえて触れない。当時の作者は、現代の記録メディアの進歩を知る由もないからだ。

また、SF漫画ならではの、現在でも実用化に至っていない科学技術が多数登場する。外星圏からの宇宙船、人体改造、さまざまな戦闘ロボット、レーザー兵器、記憶を消す装置、光点滅で催眠術をかける……な

ど。それらは本書の着目点ではないので、別の専門家に任せることにする。なお、本文中の引用は少年チャンピオンコミックス版を参照した。

当時のNASAのコンピューター

まず、バベルの塔を守るコンピューターのハードウェアの性能を考察してみよう。基準となるのは、「アメリカ宇宙局のコンピューターの百億倍の働きをします」（第6巻）という台詞だ。「アメリカ宇宙局」はアメリカ航空宇宙局（NASA）のこととして話を進める。

100億倍とは、$1000 × 1000 × 1000 × 10$である。コンピューターの世界では、数の大きさを1024の乗数でキロ、メガ、ギガ、テラ、ペタ、エクサ、ゼタ、ヨタ……と呼ぶ。これを3つ上に桁上げ（$1024 × 1024 × 1024$）すれば、だいたい100億倍となる。基数が少し違うので誤差が出るのは、コンピューターの世界では何でも2進数で数えるためだ。横山光輝氏が10進数で書いてしまったので、そのへんはご勘弁いただきたい。

さて、NASAは長い間IBMの大手顧客である。もちろん研究所ではスーパーコンピューターも使っていただろうし、世界標準で使用されるインターネットの使用規則TCPの研究を進めていたDARPA（アメリカ国防高等研究計画局）も先進的な組織だったので、何を「アメリカ宇宙局のコンピューター」とするかは難しい議論ではあるが、多くの処理システムはメインフレー

ム汎用機だったはずだ。原作が連載されていた1971年
から1973年は、OracleもMicrosoftもGoogleもAmazon
も存在しない時代である。当時の出来事を書き出して
みる。

1964年4月7日
世界初の汎用コンピューター、IBM System/360発表
1964年10月10日
東京オリンピックで集計にSystem/360が使われた
1968年4月6日
映画『2001年宇宙の旅』公開
1969年7月20日
アポロ11号イーグル月面着陸成功
1970年
アムダール社設立、IBM System/370発表
1971〜1973年
漫画『バビル2世』連載
1975年
アムダール Amdahl 470V/6発表

　NASAではアムダール製品も使われていたと聞くが、
1971から1973年にはまだ発売されていないことを考え
ると、『バビル2世』が執筆されていたころは「IBM
System/370」が使われていたと想定してよいだろう。
　私が日本IBMに入社し、1987年にソフトウェア保守

IBM System/360　写真＝Aflo

技術員として最初に担当したシステムは、System/370
の後期製品群である「4300」「3080」「3090」「9370」
ファミリーだった。何とも感慨深い。

　幸いなことに手元に『コンピューター発達史—— IBM
を中心にして——』（1988年10月発行）という日本IBM
50周年の社内誌があるので、この本のデータを参考に
する。ここでは年代的に「IBM System/370 model158」
をベースに考える。

メモリ：バベルの塔のコンピューター vs. IBM Watson

　早速ハードウェアの能力を見ていこう。まずアドレス空間。アドレス空間とは、コンピューター処理時にアクセスできるメモリの広さの限界だ。メインフレームではメモリが「ストレージ」や「コア」と呼ばれていた当時のSystem/370初期型は24bitプロセッサである。24bitでのアドレス空間は16MB（1670万バイト）。これを100億倍すると16PB（ペタバイト）となる。

　メモリとその制御装置はいつの時代でも高価だが、腐ってもNASA（失礼！）であれば、最大量積んでもおかしくない。なので、当時のNASAのコンピューターは16MBのメモリを搭載していたと考えてもよいだろう。すると、バベルの塔のコンピューターは、16PBのメモリを搭載したシステムということになる。

　さらに、2023年現在のコンピューターの主流は64bitである。64bitCPUのアドレス空間のアクセス限界は18.44EB（エクサバイト）で、24bitCPUから比較して40bit増えているため、System/370のおよそ1兆倍である（2の40乗は1,099,511,627,776）。

　2011年に米国のクイズ番組『Jeopardy!（ジョパディ）』でチャンピオンに挑戦した「IBM Watson」は、POWER 750プロセッサを90ノード搭載し、16TB（テラバイト）のメモリを運用していたといわれている。これでおよそSystem/370の100万倍だ。そのさらに1万倍、100万ノードくらいを動かすと、「アメリカ宇宙局のコンピューターの百億

倍」に近づく数字となる。2023年現在では、大手クラウドサービス用のシステムがこれに近い。

POINT：メモリの能力
アーキテクチャー能力的には、2023年現在の一般的な64bitシステムは、System/370のおよそ1兆倍の能力がある。実際に「アメリカ宇宙局のコンピューターの百億倍」程度のメモリを運用しているのはクラウドシステム

処理速度：バベルの塔のコンピューター vs. Frontier

　次に、処理速度を見ていく。System/370は、複雑な命令系統を持つCISCコンピューターである。CISCは現在でもIntel86系CPUなどで広く使われている形式だ。『バビル2世』連載当時のコンピューターには、汎用機だけでなく専用機やスーパーコンピューターのようなものもあった。

　それとは別に、「AI（人工知能）」の技術である機械学習（Machine Learning）や深層学習（Deep Learning）はベクトル計算や行列計算であり、浮動小数点計算を大量に行う。そのため、それを得意とした画像処理専用チップGPU（Graphics Processing Unit）を活用することも多くあり、比較がとても難しい。

　前出の『コンピューター発達史』によれば、「IBM

System/370 model135のCPU速度は、（演算種類によって変動するが）処理サイクルが275〜1485ナノセカンド」とされている。非常に問題のある考え方ではあるが、中央値をとって880と考えると、0.000000880秒なので、1.136MIPS（Million Instructions Per Second）と計算できる。これを単純に100億倍すると11.36PIPS（Peta Instructions Per Second）となる。ちなみにこの計算は10進数である。

　現代のコンピューターの処理速度の計算は、UNIX専用機などに採用されたRISC2に使われるFLOPS（Floating-point Operations Per Second）にした方が良い。残念ながらこれの換算は処理内容やCPUのアーキテクチャーによって変化するので単純にはできない。

　しかし、国際スーパーコンピューティング会議（International Supercomputing Conference：ISC）で2022年5月に発表された「スパコンのランキングTOP500」によると、トップのスパコン「Frontier」（米オークリッジ国立研究所）は、ピークで1102ペタFLOPSをマークした。初めて1エクサFLOPSを超え、あきらかに100億倍を超えていることがわかる。

POINT：処理速度
2023年現在のスパコンの処理速度は、当時のSystem/370 model 158の100億倍を超えている

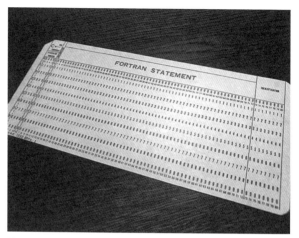

懐かしの紙カード(筆者個人所有)

ストレージ:
バベルの塔のコンピューター vs. 一般的なストレージ

　次は、ストレージについて見ていく。前々項で「メインフレームではメモリが『ストレージ』」と呼ばれていたと記したが、ここでは外部記憶装置を意味することとしておく。1970年代当時の外部記憶装置には紙テープ、紙カードがたくさん使われていたので比較が難しいが、現代のHDD（ハードディスクドライブ）やSSD（ソリッドステートドライブ）に当たるダイレクトアクセス型の外部記憶と検討してみよう。

　1974年の直前に発表されているIBMのディスク装置は、1973年のIBM 3340で、2ディスクで1セット当た

り70MBであった。そのまま単純に100億倍すると70PBだ。単純計算で1PBのストレージが300万円くらいで手に入る時代になったので、バベルの塔のコンピューターのストレージは、2億円程度の規模といえる。

POINT：ストレージ

2023年現在、70PB程度の記憶装置は数億円で購入できる

ソフトウェア：「あれって、AIだと思うんですよ」

　AIっぽい技術について考えてみよう。バベルの塔のコンピューターには、以下のような特徴がある。

1　別の惑星から来た宇宙船の部品を流用して作った
2　5000年稼働している
3　さまざまなセンサー、カメラなどから情報を収集する
4　人間の言葉で対話する
5　収集した情報を解析してさまざまな状況を理解する
6　論理的にものを考える
7　行動を起こす（武器を使うなど）
8　自分で自分を修復する

最初の2つはSFならではの設定なので、ここでは割愛する。3つ目以降の特徴が2023年のコンピューターでどこまで実現できているか、あるいはできそうかを考察しよう。

センサー、カメラによる情報収集

バベルの塔のコンピューターには、膨大な数のセンサーやカメラが登場する。漫画を読み進めると、塔の周囲や内部にはたくさんあるが、それ以外の場所や地域にはないようである。三つのしもべのうち、ロプロスやポセイドンは、ロボットなのでカメラを搭載している。しかし、それらはバベルの塔とは接続されていないようだ。第1巻でバビル2世が敵地でロプロスに命令した「ここをよく記憶しておくんだ／塔に帰ってコンピューターにかけよう」という台詞からわかる。

ネットワーク技術に関しては、当時の予想より、2023年現在の携帯電話ネットワークとインターネットの方がはるかに進んでいる。この現象は、昭和時代のSF漫画やドラマにはよくあることだ。

昭和の時代、進化した通信はアニメ『スーパージェッター』の「流星号、応答せよ」よろしく腕に巻いた特殊な装置で実現すると考えられていた。しかし、現代では通信衛星や、山やビルに設置されたアンテナがそれを支えていることが広く知られている。実際に重要なのはデバイスではなくインフラだ。

先の撮影データを解析した塔のコンピューターは、「人体改造を研究していた」という結論を出す。これは画像処理である。2023年のAI技術でも似たことができるかもしれない。GoogleがAIを使ってYouTube画像から猫を認識できることを発表した2012年以来、画像処理技術、とりわけ分類技術は急激に精度が上がった。画像認識技術は分類技術を活用しているものが多く、一緒のくくりに入れても大きな間違いではないだろう。

　分類技術とは、言い換えると「グループ分け技術」だ。たとえば、「猫の写真100枚、犬の写真100枚、象の写真100枚を入力したとき、きちんと3グループに分けられるかどうか」という技術である。この分類技術を向上させるのに役立ったのが機械学習だ。

　旧来の識別技術や分類技術では、プログラマーが「こういう特徴があったら猫」「こういう特徴があったら犬」とデータをセットしていた。このような特徴を表すデータを「特徴量」という。そのとき利用された特徴が一致すれば見つけられるが、犬猫には体長、毛色をはじめバリエーションがたくさんあり、その特徴をいちいち全部入力しているとキリがない。この「キリがない」特徴入力を自動化する技術が機械学習だ。

　機械学習は、客観的に発見できる特徴の違いから適宜分類する「教師なし」学習と、人が「これは猫だよ」としるし（アノテーション）を付けたデータ＝教師データを使う「教師あり」学習に分けられる。猫や

犬を識別するための技術には、一般的に教師あり学習のほうが使われる。

　先のロプロスの撮影データから、「人体改造に使われる道具」「人体」「体の縫い目」「薬品」などが識別できれば、「これは人体改造を行っている場面に見える」とコンピューターが推測することは可能かもしれない。そのような技術を「自動アノテーション」という。

　ただし、人体改造の識別にはとても大きな障壁がある。それは「これが人体改造をしている場面の写真である」という教師データが、普通は手に入らないことである……。

POINT：情報収集と機械学習
・IoT のようなネットワークインフラは、現代の方が進んでいるかもしれない
・映像から「何の場面か」を推定する技術は、現代の機械学習でも実現できる可能性はある

人間の言葉で会話する

　バベルの塔のコンピューターは、人間の言葉で会話する。これは、2023年のコンピューターでどれくらい可能だろうか。

　『バビル2世』を現役で見ていた世代のIT技術者の多くが、1980年代に音声認識ブームがあったことを知っ

ているのではないかと思う。当時の技術はまだ未発達だったが、その後、機械学習の技術を適用したり、クラウドなどのおかげでたくさんのサンプルデータが手に入るようになったことで、音声認識の性能はとても良くなった。Apple の Siri や、Google の OK Google などは、スマートフォンとクラウドが実用性向上に大きく関わっている。

自然言語解析の技術も重要なものだ。筆者が研究している対話システムは、タスクベースで人が話しかけてくる言葉に対して対話を行い、返答を生成する。

日本人は「フランクフルト」という言葉を、土地の名前や食べ物の名前として理解する。筆者が研究している対話システムは、そういった違いを対話の流れからくみ取る技術を提供している。「フランクフルトから東京へ」「東京へフランクフルトから」というように地名が2つあったら、どちらが「発地」でどちらが「着地」なのかを文型から推定することもできる。

現在の対話技術の最も大きな課題は、コンピューター用語でいうところの辞書のメインテナンスと音声認識の雑音に対する弱点克服だ。辞書は、音声認識時、言語解析時、意味解釈時、文章の組み立て時、発声時と、さまざまなタイミングで使われる。しかし、これらの多くの辞書は、あらかじめ用意されたものを個別に持っていることが標準的だ。音声認識がテキストに変換できてもそのテキストを解析できなかったり、テ

キストを解析できるのに音声認識がテキストに変換できなかったりする。音声認識のプロセスは「音→音声認識処理→文字列（テキスト）→テキスト処理→言語解釈処理」というふうに進み、この流れがすべて正常に処理されないと正しく動作しないのだ。

　また、少しでも騒音があると音声認識は簡単に失敗する。たとえば「周りにたくさん人がいる」「アナウンスが流れている」「機械の音がする」「反響の大きい部屋にいる」など、音声認識に邪魔になる音は世間にあふれている。それらは音声認識にとって脅威だ。さらに、2023年の音声認識は、アナウンサーのように流 暢に話しかけないと認識しないという弱点もある。考えながら、戸惑いながら話したものは、ほとんどの場合、正しくテキストに変換できない。

　そのように考えると、漫画に登場したようなやりとりは、2023年の技術ではまだ達成できていないというのが筆者の見解だ。

POINT：音声認識
この数十年で急激に発達したが、バベルの塔のように会話するのは現代の技術では困難

まったく追い付けない技術

　前項のほかにも、『バビル2世』には2023年のAIで

はかなうべくもない技術が描かれている。

　収集した情報を「解析」してさまざまな状況を「理解」し、「論理的」にものを考え、「行動」を起こし（武器を使うなど）、場合によっては「自分で自分を修復」する——後半になると、バベルの塔のコンピューターは、より複雑なタスクをこなすようになる。

　第5巻では、「無人」で敵と武器を使って戦い、第7巻では、「ヨミハスデニビイルス（ウイルス：筆者注）ヲヤッツケル方法ヲ見ツケダシタノカモシレマセン」と相手の手の内を「予測」している。第12巻でロプロスは危険を予測し、バビル2世の命令に反し、彼を海へ落としてしまう。これも非常に複雑な「予測」をしており、その対策を実施しているシーンだ。

　戦闘シーンでは、被害状況のレポートシステムや武器の発射システムなどが完全に「自動化」されている。これは、「状況の把握を数値計算できる状態にあれば、対応した武器を使って状況を改善する」というタスクとして、2023年のコンピューターでも実装できる可能性はある。ただし、人が操作したときより良い結果を出すかどうかは微妙である。実際の戦争では、補給や修理といったタスクも必要なので、完全無人で運用するのは2023年現在では不可能だ。

　バビル2世の状況分析のシーンは、コンピューターが物事を論理的に分析し、意味を解釈しているように見える。シンギュラリティー（Singularity）でAIが人類

を凌駕する日が来ることを懸念する声も聞こえる2023年現在。これらは現在のAIで実現可能だろうか。残念ながら、2023年のAIはそういうことをするためのものではない。多くの場合、複雑なタスクを数値化などで「単純化」してから学習と予測をさせている。単純化はほとんどの場合、いかに論理的なものを単純な数値に置き換えていくかがキーである。

　つまり、2023年のAIが実施している予測の多くは、数値化されたものの予測であり、論理的に理解したり論理的に予測したりしているわけではない。このため、「予測されている次の攻撃はバビル2世にとって危険なので、あえて海に落として彼の命を救おう」という予測と行動計画を立てるには、その一連の流れを事前にシナリオ化して、パターン登録しておき、膨大な選択肢の中から瞬時に「選択させる」ということしかできないだろう。

POINT：無人運用、予測と行動
・戦闘の自動化は、他の部分がシナリオ化され、自動化されていなければ不可能
・物事を論理的に分析し、意味を解釈するようなものは現存しない

1971年の『バビル2世』が見た夢と、2023年の現実

『バビル2世』に登場するバベルの塔のコンピューターについて、ここまで書いてきた内容をまとめる。

・2023年のスパコンや大手のクラウドは、「CPU」「メモリ量」「記憶容量」から考えると、『バビル2世』連載開始当時のNASAのおよそ100億倍の環境に匹敵する
・画像解析による予測は、サンプルデータがあればある程度は実現できる
・音声対話技術は、2023年の技術では漫画で書かれたレベルに到達できない
・出来事の理解、結果を予測した自律的行動は、2023年の技術ではまだ実現できていない

　懐かしの『バビル2世』に登場する「バベルの塔」を材料に、現代のAIシステムの能力について語ってきた。記憶容量や処理速度といった能力は、当時の横山光輝の目に映った「未来的コンピューター」に近いものとなってきている。しかし、このSF漫画に描かれた夢のようなコンピューターシステムにはまだまだ程遠い。これらの夢を実現するには今後も研究、開発が必要である。

第2章

『ナイトライダー』

シーズン1〜4 1982〜86年放送
アメリカ合衆国
製作総指揮：グレン・A・ラーソン
主演：デヴィッド・ハッセルホフ
写真＝Aflo

『ナイトライダー』（*KNIGHT RIDER*）は、1982年から制作、放映されていたアメリカのテレビドラマだ。日本では1987年からテレビ放映が始まる。ドラマの主なストーリーは、主人公マイケル・ナイトが特殊なスポーツカー（車種はポンティアック・ファイヤーバード・トランザム）、KNIGHT 2000を乗りこなし、一種の探偵として悪人と戦うというものだ。「若いときに観ていた」という読者も多いだろう。「このドラマの影響でトランザムを買った」という人もいるかもしれない。私のごく近くにいる研究者は、ナイトライダーに魅了されて音声対話システムの研究に身を投じたらしい。

　往年のファンには、チカチカ動く連結された赤いLEDのライトを自家用車に付けていた人も少なくないはず。今どきなら青いLEDになりそうだが、当時青いLEDは実用化されていなかった。少し若い世代なら、チカチカと光るLEDが付いた子供向け自転車を持っていた人がいるかもしれない。

　ナイトライダーには、『シーズン1〜4』、『新ナイトライダー2000』、『ナイトライダー2010』などたくさんのエピソードがあるが、今回は『シーズン1』のみを対象に、現代のAI技術での実現性などを考えていく。AIがテーマなので、車の装備や性能について脱線しないよう努力する。なお各話のナンバリングやタイトルにはソフトや配信されたプラットフォームにより齟齬があるが、2012年にジェネオン・ユニバーサルから発

売されている『ナイトライダー　シーズン1　バリューパック』を参照した。

ドリームカー・KNIGHT 2000とK.I.T.T.

　KNIGHT 2000には人工知能K.I.T.T.（通称キット）が搭載されている。Knight Industries Two Thousandの略なので、こちらもKNIGHT 2000だが、車体をKNIGHT 2000、知能部分をK.I.T.T.と呼ぶように作られていると考えられる。ちなみに、ドラマ中ではK.I.T.T.を、人工知能ではなく「マイクロプロセッサ」「電子頭脳」と呼んでいる。

　K.I.T.T.はマイクとスピーカーを使って搭乗者と会話する。マイケルが「おいキット、あれに追い付けるか？」といったふうに車に話し掛けるシーンがたくさん登場する。ちなみにマイケル・ナイトの日本語吹き替えはささきいさお氏、K.I.T.T.は野島昭生氏だ。

　KINGHT 2000は操縦桿のようなハンドルを使って人間が運転することもできるが、自動運転モード（AUTO CRUISE）を使えば、K.I.T.T.が運転してくれる。いくつか武器のようなものも搭載しており、それらも運用できる。どうやらネットワーク機能もあるらしい。今回は、K.I.T.T.のこれらの機能の実現性について議論を展開していく。

研究開発、運用体制

　KNIGHT 2000のエピソードの中でも、特に現実的だと感じられるのがナイト財団の存在である。

　どんなにすばらしいハイテクでも、製造品には開発と運用が必要で、それには人手、金、物資が欠かせない。メインテナンスフリーで使えるハイテク機器なんてそんなにあるもんじゃない。その点がきちんと設定されている点がすばらしい。「KNIGHT 2000とK.I.T.T.は、デボン氏が率いるナイト財団の資金で研究、開発、運用が行われている」と、エピソード00「電子頭脳スーパーカー誕生」でも解説されている。

　ほかにも「死の山荘脱出作戦！ナイト2000殺しのバリケード大突破！！」の中で、議員の秘書を乗せたとき「ジェーン、私の得た情報ではあなたはスタンフォード大出身ですね、私の一部はそこで開発されました」という会話がある。ナイト財団はスタンフォード大学に共同研究として研究資金を援助していた可能性もある。そして運用上のチーフメカニックは、美女ボニー・バーストゥ。他にも具体的な名前は出て来ないにしてもメインテナンススタッフがたくさん登場する。

　ナイト財団はエレクトロニクス事業で財を築いており、人工知能や自動運転の開発ができたことにも説明がつく。部品供給体制や整備・改善環境が整っていることも納得がいく。車両は前述の通り、GM（ゼネラル・モーターズ）のポンティアック・ファイヤーバー

ド・トランザム。ということは、ナイト財団はGMと
提携し、この車両を開発したのかもしれない。

POINT：無人運用、予測と行動
**KNIGHT 2000の研究、開発、運用の財源はナイト
財団、AI技術研究はナイト財団のエレクトロニク
ス部門、一部はスタンフォード大学が背景にあり、
自動車メーカーと提携していたと推測できる**

車内での搭乗者との会話

　K.I.T.T.は搭乗者や外部の人間と対話する。いわゆ
る音声対話技術だ。技術的に見ていこう。まず音声認
識の性能について、KNIGHT 2000のインパネ中央に
K.I.T.T.の対話システムが搭載されている。マイケルが
話し掛け、K.I.T.T.が喋ると、中央のインジケーター
がピカピカと点滅する。単純にインパネをカメラで映
して声優の声が流れているだけでは車が話している雰
囲気が出ないため、インジケーターを付けた、という
のが背景にあるだろう。この辺りは現代の対話型イン
ターフェースと逆だ。ちなみにインターフェースとは、
コンピューターと人間のやりとりを行う箇所をいう。
　多くの対話型システムは、マイクに音が拾われてい
ることを示すためにマイクアイコンを点滅させたり、音
声波形を表示したりする。ヒューマノイドロボットで

も、耳の辺りがLEDで光るというスタイルが一般的。スマホやロボットそのものが喋るときに何かを点滅させることは必須ではない。一部のロボットは目が点滅したりするが。

　現代の音声認識は性能がまだまだであり、マイクに口を近づけないと正しく認識できないのが一般的である。また、きちんと声が届いているか、きちんと認識されたか、に対して相当疑問があるため、「どう認識されたか」を目で確認する必要があり、画面に表示していたりするのだ。

　それに比べて、K.I.T.T.の音声認識に使われているマイクや認識機能の性能には驚く。マイクに口を近づけない形態をファーマイク（far microphone）とか、ディスタンス会話（distance dialogue）などと言う。まだまだ課題の多い分野で実現は難しいが、K.I.T.T.はこれを当たり前のようにやっている。走行中でも普通に喋るだけで対話が可能で、聞き漏らしはほとんどない。この「普通に喋る」というのも重要な点だ。現代の技術では音声認識システムが判別しやすいように喋る必要があり、人間側がかなりトレーニングしなければならない。つまり、K.I.T.T.の音声認識装置はすばらしい性能を持っており、現代では実現が難しい。

　また「重戦車砲撃網大突破」というエピソードで、マイケルの発言に対して「声のトーンが危険なトーンに変わってきました」とクギを刺すシーンがある。声

色から感情を読み取っているのである。

　現代の音声認識は、音から人の声を検出しテキストデータに変換することで文字になる。その後さまざまな処理をするので、声色はテキストデータからは読み取れない。声に含まれる感情などを読み取ろうという試みは行われているが、「危険なトーン」というものを正しく読み取るには、まだまだ道のりは長い。

インターフェース

　対話に使うインターフェースを見てみよう。搭乗者との対話にはマイクロフォンだけでなく別のセンサーも使われていると思われる。

　マイケルが運転中に居眠りを始め、パトカーに追いかけられるシーンがある。そのとき K.I.T.T. が「窓にもたれ掛かっていたので」という発言をする。これは K.I.T.T. が、マイケルが車の窓にもたれ掛かっていたのを見ていたからであり、そのためにはマイクロフォン以外に別のセンサーが必要だ。現代の技術による居眠り検知から推察すると、光学センサー、つまりカメラ画像から運転者の状態を読み取ったり、あるいは近赤外線カメラで瞳の状態検出をすることが考えられる。もたれ掛かっていた状態を検出するには、ドアに圧力センサーをつけておくことも有効かもしれない。

　また、Twitter などのチャットシステムに自動応答するプログラムを「チャットボット」と呼ぶ。チャッ

トボットはテキスト対話システムだ。テキストを音声認識（ASR：Automatic Speech Recognition）から読み込み、音声合成（TTS：Text To Speech）で出力するようにすると音声対話システムとなる。

　キーボードやマイクといった1つの入力装置、テキスト表示やスピーカー出力など1つの出力装置で対話を行うシステムを「シングルモーダル対話システム」といい、マイクロフォン以外に別のセンサーを併用するようなものを「マルチモーダル対話システム」という。K.I.T.T.はどうやら、マルチモーダル対話システムのようだ。

　現代の運転アシスト技術の1つとして居眠り検出の研究が盛んである。いわゆるレーダーにあたるデプスセンサーでジェスチャーを認識すれば、「傾いている」「動かない」などの特徴から、眠っていることを検出できるかもしれない。その他、目線の動きやまばたき回数などから眠気や居眠りを検出しようという研究もされている。

　しかしK.I.T.T.のセンサーは、これだけではなさそうだ。別のシーンでは「（マイケルの）出血がひどいので、運転を交代してください」とK.I.T.T.が言っている。出血していることを認識するために、カメラ映像などを使っている可能性が高い。しかし出血がひどいという状況を現代の画像認識の技術で判断するのは、とても難しい。

人の状態を検出するためにカメラやデプスセンサーを併用して1つの結果を導き出そうという取り組みはセンサーフュージョンと呼ばれている。この技術は、自動運転における周囲の状況認識のためにカメラやレーザーレンジファインダー（レーダー）などを組み合わせるときにも使われる。

POINT：対話システム

K.I.T.T.の車内対話システムは、複数のセンサーを組み合わせたセンサーフュージョン技術と、音声と身体状態検出を組み合わせたマルチモーダル対話システムでできている

K.I.T.T.の喋り

　K.I.T.T.は男性の声で喋る。もちろん、ドラマ制作では声優が喋っている。

　対話システムに関わる身としては、少し安心する仕様である。なぜかというとK.I.T.T.はいつも淡々と喋っており、決して叫んだり、怒鳴ったり、歌ったりしない。この「淡々と喋る」のみであれば、現代の音声合成、TTSでもある程度は可能だ。

　マイケルは別の人をKNIGHT 2000に乗せることがある。毎回、入れ替わりで美女をナンパして乗せてあげるのが定番だ。「荒野の大戦争！地獄の暴走族スコ

ーピオンズ対ナイト2000」という回では、売店の売り子の弟デイビーも乗せた。

　K.I.T.T.はマイケル・ナイト、デボン氏、デイビーやナンパした女性など、それぞれ個人を特定している。これは非常にすばらしい認識能力だ。

　現代の対話システムの多くは、人を特定しない。入ってきた言葉を音声認識でテキストにした後、そのまま処理するからだ。ただし、Google Homeが声紋認識機能を搭載した2017年以降に発表された数種類のスマートスピーカーは、音声により人を識別するようになった。顔画像を使った個人の識別システムは、さまざまなアプリケーションで実用化が進んでおり、対話システムに組み合わせて似たことが徐々にできるようになってきている。

POINT:対話相手の識別
K.I.T.T.の対話技術は、搭乗者個々人を認識でき、叫んだり歌ったりせず淡々と喋る

運転能力

　K.I.T.T.にはKNIGHT 2000を運転する能力（機能）がある。ご存じのように自動運転はカーメーカー各社がしのぎを削る時代に入った。完全自動化された自動運転車をレベル5と呼ぶが、そのレベルに達している

車はまだ発売されていない。現在は限定された環境
——高速道路の一部の区間や特別なセンサーが整備さ
れた駐車場内など——で一時的に手を離してもよく、
人間は常に運転を代われる状態で注意していなければ
ならない、というレベル4の車が販売され始めている
にすぎない。

　K.I.T.T.は普通に道を安全に走るだけではない。高
速走行では人が運転するよりも上手に、あるいは普通
の車ではできないような運転もこなす。「炸裂サミーの
壮絶スタントショー」の回では片輪走行を披露した。
「命をつなぐ水 渓谷の水を守り抜け！」の中では闘牛
士のような動きで雄牛をなだめる。

　KNIGHT 2000にはアンカーワイヤーやロケット弾、
火炎放射などの機能（武器？）が装備されている。ア
ンカーワイヤーを駆使して急旋回するなど、巧みな使
い方をして機能を活用している。

　さらに、軍隊のロケット砲からの攻撃を避けながら
走り回ったり、崖から飛び降りたりする。フィクショ
ンだから仕方がないが、当然そんなことが一般の自動
車にできるわけはない。

　こういった動作をさせるには、あらかじめプログラ
ム（アンカーワイヤーを使った急旋回、ロケット弾か
らの逃避走行）しておくことが必要かもしれないし、
もしかしたらもっと高度にロケットや車体の運動を勝
手に推測して行動しているのかもしれない。

現代の自動運転技術やロボット制御技術の多くは、基本的にはあらかじめ状況を想定してあることが重要な開発要件だ。周囲の状況を自然と読み取り、想像を働かせて運転するという芸当は、当分できないだろう。

> POINT：自動運転能力
> **K.I.T.T.の自動運転能力は「レベル5」をはるかにしのぎ、人間ではマネできないような運転技術を実現している**

ネットワーク能力

　K.I.T.T.にはいくつかの通信機能がある。たとえば、デボンとボニーが大型のトレーラーで支援に来るシーンでは「K.I.T.T.に呼ばれて飛んできた」と言っている。K.I.T.T.はコムリンクと呼ばれる腕時計型の通信装置でマイケルと会話ができる。また、悪党の調査などもこなしている。人物のプロフィール情報を検索し、過去の経歴や最近の動向などを調べて報告するシーンが頻繁に登場する。

　現代の技術に影響を受けてしまっている私たちは、「デボンを呼び出すには、電子メールやチャットメッセージを飛ばすだろう」「遠隔で会話しているのは、スマートウォッチだろう」「悪党の経歴は、インターネット経由で警察や軍のデータベースにアクセスしただろ

う」と邪推してしまう。

　しかし1982年の制作当時にはそういうものはなかったので、ナイト財団が国や軍の協力を得て独自に開発した特殊装備で成り立っていたに違いない。ナイト財団が独自にGPS衛星や通信衛星を打ち上げていた可能性も否定できない。

　K.I.T.T.の働きとして特筆しなければならないのは、いちいち指示しなくても行動に移す「気の利かせよう」である。「支援のためにデボンを勝手に呼び出す」「夜のうちに悪党のプロフィールなどを検索して調べておいてくれる」、そういう気の利く知能技術を、われわれも早く実現できるようになりたいものだ。

POINT：通信機能
K.I.T.T.には何らかの通信機能があり、マイケルの指示がなくても、事情を鑑みて仲間に連絡をしたり、情報収集したりできる

人間性

　K.I.T.T.には「人間性」のようなものが存在する。初回、デボンがマイケルにK.I.T.T.を紹介するときに「マイケルだけを守る」と伝えるシーンがある。ドラマ中、マイケルとK.I.T.T.は当時の刑事ドラマによく見られた相棒同士のような関係で描かれており、マイケ

ルとK.I.T.T.の間には強い絆があるように感じられる。
「炸裂サミーの壮絶スタントショー」でマイケルが
KNIGHT 2000に星型の銀のステッカーを貼っている
と、「星のシールで機能が向上すると思えません」と
抗議する。ステッカーがお気に召さない様子だ（私は
学生時代乗っていたスカイラインに星型シールを貼っ
ていた……）。まるで自分が黒一色であることにステイ
タスを感じているかのようである。

「殺しの暗号トパーズの謎！大追跡！ジェット機に飛
び乗れ！」の最後のシーンで、雑誌に掲載された美女
ローレンが水着姿でKNIGHT 2000にもたれ掛かって
いるグラビアを見て「私だけを撮って欲しかった」と
K.I.T.T.が不満を漏らすシーンがある。美女には興味
はないが、自分はきれいに写りたいという自己顕示欲
のようなものを感じる。そして、マイケルと正反対で
美女には冷たい。

　ロボットを含むAIシステムに、人間性を持たせよう
という研究が現代では盛んである。まだまだ難しい分
野ではあるが、K.I.T.T.のように「人との絆を感じられ
るようなもの」を作れる時代をわれわれは目指し続け
なければならない、とつくづく考えさせられた。

第3章

『わたしは真悟』

1982〜86年
『ビッグコミックスピリッツ』連載
著者：楳図かずお
小学館文庫

『わたしは真悟』は、『ビッグコミックスピリッツ』（小学館）で1982年から1986年まで連載されていた長編SF漫画だ。工業用の生産ロボットが意思を持ち、さまざまな事件を繰り広げるSFホラー。作者は楳図かずお。2018年1月、フランスで開催された第45回アングレーム国際漫画祭で遺産賞を受賞した。本稿では、小学館文庫版をもとに考察を進める。

　物語の中心となるのは、ロボットの真悟だ。当時AIという言葉は一般的ではなく、ロボットと人工知能のようなIT技術は一緒くたに考えられていた。この時代に「ロボット」という場合は、その知能的な能力を含んでいることに注意されたい。

　また、本作品は当時の産業用ロボット発展時代を色濃く反映しており、楳図氏がとても熱心に取材して、その成果を作品に込めていることを感じ、頭が下がる。

　連載当時、筆者は技術高専の機械工学科で学び、自動制御技術を専攻していた。しかも専攻はロボットハンドだ。テレビCMで、片手で卵を割るロボットハンドを見て、「あんなロボットハンドを作ってみたい」と思っていた。実際には「ピンセットでつまんだ物を回す微細制御ロボットをX-Yテーブルを用いて作る」という卒業研究をしていたのだが、コンピューターに指示を出すために数字で表されるマシン語の四則演算のみでロボットアームを円運動させるのに苦労したものだ。その当時の漫画として思い返せば、この作品、よ

著者が1986年に研究していた微細作業ロボットハンド（著者撮影）

くリサーチされていると感心する。

　物語の冒頭で工場に導入された産業用ロボットは、マリリン・モンローの写真が飾られモンローと名付けられる。その後、意思を持ち勝手に動き始めたそのロボットは、主人公であるまりん（真鈴）とさとる（悟）の名前の文字を取って「真悟（シンゴ）」と自称するようになる。モンローは、第3巻「PROGRAM（以下、P）3-Apt1 はじめとおわり」の中で「意識を持ってしまった」とある。本稿では、それ以前を「モンロー」、それ以降を「真悟」とする。

マシンへの「恐れ」から始まる物語

　新しい技術はいつも、「人の職を奪う」といわれてきた。

今日のAIブームでキーワードとなっている「シンギュラリティー」は、もともとは重力などの特異点を示す言葉だが、AIの世界では「AIの能力が人の能力を超える瞬間」といった意味で捉えられている。現代社会では、AI（より広く浅く捉えればコンピューター）の能力が人の能力を飛び超えて凌駕する時代がすぐそこまで来ているのではないか、という不安をかき立てるための呪文のようなものだ。

　私は真悟の根底にも、産業用ロボットに対する何らかの「恐れ」が感じ取れる。産業用ロボットは強力で、正確で、休まず働き続ける。もし意思を持ったらどうなるのだろう……。

　さまざまなテクノロジーは既に人間の能力を大幅に超えており、人間の社会は自身の能力を超えた科学の力を使うことで発展し、地球に君臨していることを忘れてはならない。

　人間は1トンもある物を持ち上げることはできないが、重機は軽々と持ち上げる。持ち上げる高さも人間なら2メートルが限界だが、機械を使えば300メートル以上もある建築物を建立できる。人間が全力で走ったとしてウサイン・ボルトの時速45キロ弱が限界だが、新幹線に乗れば平気で時速250キロで移動できる。ましてや人は空を飛ぶことはできないが、現代の地球では常に数十万という航空機が空を飛び、宇宙にさえ行けるようになった。

これらは人の能力を超えたものであり、しかも「人間を超えることで仕事を奪われる」と危惧するよりも、なくてはならない存在となっているものだ。

コンピューターが生まれてからおよそ100年。計算能力は最初から人の能力を超えていたし、超えていたからこそ価値のある存在なのだ。

AIが人の知能を超えることで、「人間の仕事を取られるのではないか」と心配する論調をよく聞く。知能を、機械にはできない最後の砦のように考える人が多いのかもしれないが、それを超えてこそ、新しい文明社会があるのではないだろうか。

POINT：シンギュラリティー
AI以外の多くの技術は、既にシンギュラリティーを超えている

職人がロボットに職を奪われる

『わたしは真悟』も、同様の論調から物語が始まる。

時はバブル直前の年代。日本は好景気に包まれていた。たくさんの仕事の依頼があれば労働者は残業で対応した。そして機械化の波が来る。ハイテクの導入、生産性の向上、売り上げや利益の向上――といった期待が経営者の頭をよぎる。

第1巻「P1-Apt4 ロボットは少年と出会った」で、

作業をするモンロー
©楳図かずお／小学館

　モンローと名付けられた産業用ロボットが、主人公の
さとるの父が働く町工場で稼働を始める。

　父はそのころ、「X座標を動かすと……」と座標の話
をするようになる。さとるが父にじゃれつくと、「じゃ
ますんなっ!!　人が勉強してんのに!」とどなりつけ
る。工場のエンジニアである父は、旋盤などを駆使し
て金属加工や組み立てを手工業で行う専門家であった
のだろう。そうした職種の人々にとって、座標やベク
トルなどの幾何学の知識は専門外のものだった時代だ。
「今までおれがトンカチやっていたのをよ、モンロー
のやつがよ、組み立てやがるから、おらっちは出来上

がったモーターを、集めて運ぶのが仕事になっちゃったもんね!!」という父の台詞から、彼が従来の「仕事」をロボットに取られ、運ぶという「作業」に回されたことが読み取れる。「P2-Apt9 ワードプロセッサー」でも、「うちの人、キカイにこき使われてるだけじゃないの!!」という、さとるの母の台詞がある。「職人がロボットに職を奪われる」という論調が、当時あったに違いない。

> POINT：時代背景
> さとるの父のような熟練技師による加工や組み立ての仕事を、産業用ロボット「モンロー」が取って代わるようになり、最終的には「ロボットに職を奪われる」ことが危惧されていた

人間は「物を運ぶ」

　近年の「AIに仕事を奪われる恐怖」と、この現象を比較してみよう。

　モンローのような産業用ロボットが導入されている製造現場では、機械と機械の間の移動にはベルトコンベヤーを利用するが、そこから箱に詰めて倉庫へ運ぶ作業は最近まですべて人間がやっていた。これはどういうことか。

　曲げる、削るなどの金属加工には熟練の技が必要だ。

なぜかというと、人は精密な作業を正確に繰り返し行うのが苦手だからだ。このため、熟練の作業は誇り高いものとされ、職級も高いことが多い。それに比べ、運ぶという作業には特別な訓練が必要ない。人間が普通にできることをやれば、物を運ぶのは簡単だ。

　ところが実際には、熟練作業がロボットに置き換えられ、物を運ぶという一見単純な作業が人間に残った。なぜならロボットは物を運ぶという作業が、あまり得意ではないからだ。これにはこの作業の特殊性に理由がある。

1. 同じ作業の繰り返しではない

　町工場では、ある程度精密な機械を図面に合わせて製造することが多い。毎回、「違う形状」の物を「違う方法」で「違う方向」で「さまざまな大きさ」の箱に詰めなければならない。単純なプログラミングではできず、形状を認識したり、手順を計画したりしなければならず、箱詰めの自動化はコストに見合わない。

2. 移動が難しい

　組み立てロボットは固定位置で腕だけを動かしていればよいが、運搬ロボットは移動しなくてはならない。バッテリーが弱かった1980年代では、バッテリー駆動が現実的ではなく、電源ケーブルを付けるのも無理があっただろう。

また、狭く入り組んだ工場を移動するには、カメラ
やレーザーレンジファインダーで周囲の形状を認識し、
複雑な行動計画を立てる必要がある。滑る床の上や段
差のある工場を移動するのは、設計通りにいかず、危
険も多い。

3. 例外処理が多い

　物を運ぶ作業には、多くの例外が発生する。

　箱を適宜運んで、積み上げ、ある程度高くなったら
別の山を作る。他の製品とうまく混ぜて積み上げなけ
ればならない。運んでいる途中で他の人が通れば待っ
たり避けたりしなければならないし、運送トラックは
時間通り来ないかもしれない。

　人間が「鍛錬して可能としてきた動作」はAIで効
率的にできるが、「人が誰でも普通に行っていること」
は、AIや機械ではなかなかできない。ここに、AIと
人間の仕事の分担のヒントがあるのではないだろうか。

> POINT：ロボットが不得意な作業
> **「物を運ぶ」は、人間には容易だが、ロボットには
> 難しいタスクである**

モンローと真悟の入出力装置

入力装置を確認していこう。『わたしは真悟』第1巻「P1-Apt8 夜の工場」で、モンローは「画像認識技術」を使っている。解像度は1024×588（60万ピクセル）、モノクロだ。大写しになった図を見ると、ところどころ大きな点と小さな点で描かれているため、白黒二値ではなく、グレースケールだと思われる。第2巻「P2-Apt10 眼」でも、「わたしに色を識別する力がそなわっていれば」というモンローの台詞があるので、カラーではない。

一方、言語は文字コードに頼る。さとるやまりんがモンローと会話するシーンではもっぱらキーボード入力と画面操作に頼っており、音声で会話するシーンはモンロー時代には出てこない。このことからモンローには音響センサー（マイクロフォン）とスピーカーは搭載されていないと推察される。

しかし真悟になってからは、第3巻「P3-Apt13 ワタシハシンゴ」で謎の少女、美紀と電話を通して会話し、第5巻「P5-Apt5 偶像」では、何かによって作り出された口で「ワ・タ・シ・ハ・シンゴ」と船員に話しかけている。真悟は、モンローには備わっていなかった音声対話型の言語機能を自ら手に入れたのだ。

第1巻「P1-Apt9 位置ぎめ」に、「位置ぎめというのをしてもらい」という箇所がある。この表現から、モンローの動作はフィードバック制御ではなく、位置

決めからの相対位置で行われている可能性が高い。

　私が試作していたロボットは、ハンド位置をレーザー距離センサーで計測していたため、位置決めという操作はなかった。今日のロボットの多くも、そういう操作を減らす方向で努力している。

　しかし、一般的には、センサーの多くが品質や動作環境が均一でないのが常識で、何らかの調整が必要だ。製造後に自動調整する機能を付けていることが多く、これをキャリブレーションという。スマホの方位センサーがそうで、画面が勝手に回転してしまい、ぐるぐる回す動作をさせられた経験をお持ちの読者も多いはずだ。

POINT：モンローの装備 1
モンローには「モノクロカメラ」、入力装置としての「キーボード」、表示装置としての「ディスプレイ」（発表当時の状況からしてブラウン管）が備わっていたと考えられる

学習と認識

『わたしは真悟』第1巻「P1-Apt3 ロボットは動き始めた」に、さとるの父が「X座標を動かすと、ロボットの手は右へ、Y座標を動かすと左へ」と、若干意味不明なことを呟くシーンがある。

座標を設定してロボットハンドを操作するという方法は、筆者もよくやっていた。その当時から自動加工機は工場に普通に導入されていた。手順を数字入力するようなNC（Numerical Control＝数値制御）は、古くからなじみのあるものだ。昔は数値入力に紙テープを使うことが多かったが、現代は当然コンピューターを使用する。

　これは「命令」の入力であり、「学習」とは少し違う。モンローに絵を描かせるシーンもあるが、これも数値入力しているように見える。プロッターと呼ばれる、図面を描くための機械と似た動作だ。

　第1巻「P2-Apt1 Name!?」の冒頭で、さとるがモンローの手を握ってカタカナの「イ」を教えるシーンがある。ここから、何らかの位置センサーがモンローの腕に付いていたことがわかる。アーム型ロボットハンドの位置読み取りを行うためのセンサーとして古くから使われているのは角度センサーだ。

　角度センサーには、いろいろな種類がある。回転角によって電気抵抗値が変わるバリ・オームは、アナログアンプのボリュームによく使われている。バリ・オームは安価で手軽なため、ラジコンのサーボモーターなどにも使われているが、精度が悪いという欠点がある。

　接続する接点を変える方式のデジタルエンコーダーという装置もある。接点を使わずに、印刷されたパタ

ーンを光学センサーで読み取る光学エンコーダーもある。デジタルエンコーダーは、精度は良いがサイズが大きくなりがちだったり、高価だったりする。

　動いた量だけパルス（四角い電気信号）を出力するパルスエンコーダーという装置もあり、高速回転に強く強度が高いなどの性質があるが、パルス落ちという現象が起こるため精度に課題もある。たとえばパルスエンコーダーからパルスが90個届いたら、90°回った、という意味となる。ところが実際には89個しか届かないこともあり、その原因はさまざまだが多くの場合は物理的な現象によるもので、これをパルス落ちという。

　さらに、ロボットハンドを動かして動作を教える方法は、ダイレクトティーチングと呼ばれる。昔から存在したが、位置決めを正確にしないといけないのに加え、精度が低く、単に同じ動きを再現するだけだったため、あまり役に立つものでなかった。近年、カメラ、物体認識、人の動作認識技術などのAI技術を組み合わせることで、教えている人が何をしたいのかや、対象物の形状、大きさ、色形、方向などが変わった状況を覚えられるようになり、工業用ロボットの開発で再度見直されている。

　さとるとまりんは自身の顔をカメラで読み込ませ、名前と一致させる。これは、顔写真による識別器を使えばできる。物語の中ではさとるとまりんのみを覚えさせているので、「どちらであるか」を認識しているだ

けかもしれない。そのような二者択一の問題を二値分類といい、その程度なら当時の画像処理技術でも可能だったかもしれない。

POINT：モンローの装備 2
モンローには「NC制御」の他、腕を持っての「ダイレクトティーチング」、顔をカメラから読み込んでの「画像識別装置」が備わっている

真悟になってから発揮する能力

『わたしは真悟』第3巻「P3-Apt1 はじめとおわり」で「意識を持ってしまった」あと、モンローは真悟になり、モンロー期にはできなかったことを始める。

　最初に驚くのは、口の動きを読み取って言葉にするシーンだ。これは現在でもなかなかうまくいかない認識技術である。口の形状から母音はある程度推測できるが、子音は分かりにくい。会話の流れから話した言葉を「推定する」必要がある。

　これには時間の経過とともに集まるデータ（シーケンスデータ）を認識する機械学習が役に立つだろう。現代では「CRF（Conditional Random Field＝条件付き確率場）」や「RNN（Recurrent Neural Network＝再帰型ニューラルネットワーク）」と呼ばれる技術の活用が考えられる。これは音声認識でも入力テキスト

の予測に使われている手法だ。CRFは日本語のテキストデータを語の最小単位に分割する形態素解析処理に長きにわたって使われている。RNNは、より新しい機械学習AI技術で、形態素解析処理のほか、音素の認識、映像の状況認識などに使われる。

第4巻「P4-Apt4 逃走」で子供たちと出会った真悟は、彼らが話している言葉とコミュニケーションをとる。モンロー期まで遡っても音声聞き取り機能が搭載されていたと思えるくだりはないので、真悟がなぜ言葉を聞き取れたのかは少し疑問であるが、何らかの音響センサーがあらかじめ備わっていたのかもしれない。

感情と生存本能

次に重要なのは、ロボットの生存本能についてだ。真悟は襲いかかってきた犬を殺したことから「壊れる」とはどういうことかを理解し、自らを守るために逃げる。また、ネズミが他のネズミの死骸を食べるのを見て自分も電気を食べることを覚える。

これらの行動はあらかじめプログラムされたものではなく「まりんに言葉を伝えたい、さとるに会いたい、会うために自分を守らなければならない」といった複雑な感情から来るものだ。現代のAIやロボットシステムには動物的な生存欲求はなく、真悟が特殊なロボットであることがうかがえる。

ネットワーク

そして真悟は、第5巻「P5-Apt13 進化」で、世界中のコンピューターと繋がり、すべてを知ることになる。これは現代でいえばインターネットでありクラウドである。現代のAIは、その基盤を既に手に入れている。問題は「理解する」という能力がまだ欠けている点である。

真悟は読唇術を行い、周りの状況から物事を理解し、新しい知識を得て、自分を守り、地球のあらゆる情報をネットワークから知ることができる。

モンローが真悟化していく流れのなかで、「ICの繋がり方は、まるで人間の脳細胞の繋がりに似ている」という箇所がある。

昔は電子回路（IC）が先端技術であり、プログラムは命令とデータでしかなかった。その後、電子回路は速度を上げ、容量を増やすための技術となった。莫大なデータ処理は超並列化、ネットワーク結合、クラウド化などで実現された。GUI（グラフィカルユーザーインターフェース）、タッチパネルといった操作性向上はセンサー技術やOSの進化によって成された。そして、現代のAIでは電子回路の発達よりもベクトル計算や統計技術を基礎とした機械学習という計算理論によってその機能がもたらされており、その多くがソフトウェアによって実現されている。

今日、「ニューラルネットワーク」と呼ばれるものは

脳細胞の繋がりを模したものであり、多段階処理の判断結果の受け渡しを表しているにすぎない。機械学習を実際に使っている人は理解していることであるが、ICのサーキットの配線が脳細胞の接続に似せてあるのではなく、さまざまな判定結果の受け渡しがニューロンネットワークを模したものから来ているのである。

『わたしは真悟』各巻頭のとびらに、「奇跡は　誰にでも　一度おきる　だが　おきたことには　誰も気がつかない」というメッセージが書かれている。

　現代のAI技術が高く注目されている背景には、多くの技術者が努力を重ねて作り上げてきた多くの認識ソフトウェアがどうしても超えられなかった精度の限界を、機械学習が突然壁を破るかのように性能を向上させて超えたことがある。

　それには、GPUのような大規模並列処理が得意なプロセッサの登場、非線形分離、バックプロパゲーション（誤差逆伝播法）、多層化といった地道な工夫があるのは確かだが、突然性能が向上したさまざまな認識処理は技術者から見れば奇跡のようなものだ。

　その奇跡は誰にでも使えるようになり、利用者はその奇跡が起きたことには気付かず、技術はいつのまにか生活に入り込んでくるのであろう。

第4章

『火の鳥　未来編・復活編』

『未来編』1967〜68年『COM』連載
『復活編』1970〜71年『COM』連載
著者：手塚治虫
手塚治虫文庫全集（講談社）

『火の鳥』は、1954年から1988年にかけて、さまざまな雑誌で描き継がれた手塚治虫の長編漫画である。数十億年にも及ぶ幅広い時代を扱った、非常に長大かつ壮大な物語で、『○○編』という名称で1つひとつの物語が作られている。本稿では、ロボットの「ロビタ」が登場する『未来編』と『復活編』を取り扱う。

レオナの脳に置き換えられた「人工頭脳」

　AD2482、少年レオナはエアカーで交通事故を起こし、死亡する。『復活編』の話はここから始まる。彼は再生ドックで手術を受け、小脳の全部と大脳の大半を人工頭脳に置き換えられて生き返る。この辺りを現代のAIで解説してみよう。

　再生された直後、レオナは「見えるのは線ばっかり」と言う。手塚が「人間が物を見ることは、機械であればカメラによるだろう」と考えたからだろう。

　『復活編』の執筆時期は1970〜1971年だが、物語の全体像を考えたのは『未来編』執筆時（1967年）かもしれない。まだ磁気ビデオも一般的ではなかった時代のため、カメラは完全にアナログ、かつ走査方式が用いられていた。CCDによるデジタルカメラは存在しないか、知られていない。

　走査方式とは、旧来のアナログ方式の映像信号のしくみである。光学レンズを通してスクリーンに映像を投影したあと、細い線から情報を読み取る方式だ。発

レオナから見た人間の姿　©手塚プロダクション

明当初は巻き上げ式の振り子を使ったり、螺旋状に穴の開いた板（ニポー板）を回転させて読み取ったりしていた。

　実用化された最も古い映像信号化装置は「光電管」という真空管である。レンズを通して入ってきた光を小さな特殊スクリーンに投影すると、光の量に従って板面の各所の電子量が変化する。電子ビームを当てると、当てた場所の電子が回路に流れる。電子ビームは磁力によって進路を変えることができ、周囲にコイルを配置してスクリーンにあたる場所を調整できる。こ

れを利用してスクリーン上を、たとえば左上から右へ、次にすぐ下を左から右へ、と順番に下までなぞっていく。

　こうすると映像信号を細長い線の形で取り出すことができる。この線を「走査線」という。この方法で映像信号を取り出す部品の初期のものは真空管でできており「撮像管」といい、初めて実用化されたものはアイコノスコープという。プリズムで光を三原色に分け、3本の撮像管で信号を同時に取り出すことでカラー映像化などが行われた。

　走査方式の映像は、ブラウン管という、同様に磁力を使って電子ビームを同じ要領でスクリーンにあて画面を光らせる装置で再生できる。走査線の数が画像の解像度として評価される。長く日本で使われてきたアナログ方式のテレビ配信方式NTSCのSD規格では、画面を縦方向に525本に分けた走査方式が使われ1秒間に30枚（正確には29.97枚だが説明は割愛する）の画像を作るので、1秒間に15,750回も左から右へ走るわけである。

　初期のころはその速度を出すことができず、1本ずつとばした画像を作り、次の画面で埋めるという方式が使われていた。これをインターレース方式という。後に、1画面がすべて埋められたものができ、これをプログレッシブ方式という。アナログ方式の最大解像度は、1125インターレースか750プログレッシブであ

った。アナログ信号は波の形をしているので横方向に解像度と呼べる数字は存在しない。

　手塚は医学博士号を持っていただけあって、「目から入ってきた映像データを脳が処理して物を認識している」という知識があったのだろう。このため、脳が人工頭脳に置き換えられたレオナは、周りの景色を走査線で認識するようになる、と考えたと思われる。

　手術を施したニールセン博士は、レオナの人工頭脳を「人造蛋白質からつくられた疑似ノイロン（ニューロン）の移植」と説明している。現代の人工ニューロンAIのように、シリコンウェハーに作られた汎用論理回路（すなわちコンピューター）にソフトウェアで実現された算術型ニューロンではないことになる。

　現代の人工知能ブームで流行している深層学習技術（Deep Learning）は、統計に基づく算術計算をニューロンネットワークになぞらえて計算している算術手順にすぎない。物理的な回路ですらない。

　『火の鳥』の物語に登場する人工頭脳は、現代の私たちが思っているような電子回路で動くコンピューター（電子計算装置）ではなく、人工的に作られた生体組織という設定であり、その点が現代のAIとは違っている。

　脳を人工頭脳（人工的に作られた脳細胞生体組織）に置き換えられたレオナは、無機質な建物や機械は普通に認識できるが、人間や犬といった生物が「土くれ」

に見えるようになってしまう。これは、現代のAIの物体認識に非常に近いことであると私は考える。

　現代の画像を利用した物体認識技術は、機械学習や深層学習によって飛躍的に進歩した。ただし、「認識」や「理解」が進んだわけではなく、ラベル付けの正解率が高まったにすぎない。

　現代のAIは、写真に写っているものに「猫」とラベルを付けることはできるが、それが「猫である」と理解しているわけではない。それが「動物であり、われわれ人間と遠い親戚であり、お腹が減り、食べ物を食べ、病気で弱ったり死んだりする共通の生き物である」ことがわかるはずもない。当然、動くものをキョロキョロと視線で追い、猫パンチを繰り出す姿を「やーん、かわいー」「癒される〜」「もふもふ〜」と感じることもないのである。

　物体認識の例として、色のついた四角と番号などを表示するものを見たことがあるだろう。四角と番号だけが表示されているものと、レオナが見ているものは同じなのかもしれない。

POINT:物体認識能力
レオナの物体認識能力はラベル付けを行うだけのAIと同じレベルになってしまった

人間臭いロボット「ロビタ」

　さて、本稿の主役「ロビタ」についてである。ネタバレになって申し訳ないが、ロビタは、AD2484にレオナとチヒロというロボットの心が移植されたロボットである。その後大量生産されるが、それらにはすべてレオナとチヒロの心のコピーが埋め込まれている。このため、すべてのロビタにはとても人間臭い心が宿っている。また、ロビタの知能は、レオナとチヒロの人格を書き写したものであるとも描写されている。これは現在の科学では到底実現不可能である。だからSFである。

　現代の科学では、人間の脳の活動はほとんど解明されていない。神経細胞単位での活動が客観的に、それもかなり大まかに観測されただけである。観測されたことと解明されたことはレベルが違うことも理解いただきたい。たとえるなら、イーサネットケーブルの外側から電磁波を読み取って「こんなデータが流れていたときはこんな電磁波が出ていました」と認識する程度である。データが読み出せたわけではない。

　人が物事をどのように認識し、どのように記憶し、どのように自己や人格や意識が形成されているのか、今はまだほとんど解明されていない。どのように情報が蓄積され、どの情報が何なのか、まるでわかっていない。

　脳からの情報を取り出そうとする試みは学術業界で

は継続して研究されている。たとえば、私の所属する研究所でも過去に頭の中でグーチョキパーを思い浮かべて人型ロボットに出させるという研究が行われていた。これはBMI（Brain Machine Interface）と呼ばれる研究である。ただし思い浮かべてから手を出すまで10分以上掛かったそうである。最近では頭の中で思い浮かべた文字をコンピューターのテキストとして読み取れたという報告が、とあるソーシャルネットワークベンダーからあった（この話については第9章で詳しく述べる）。

　これらは、漏えい電気信号として読み出した脳の活動の外部観測データから「今、脳が考えていることはこうではないかと推測できるかもしれない」というレベルにすぎない。「生涯の経験や記憶を読み出せそうである」という研究はいまだかつてない。そして、そこまで到達するのは当分難しいだろう。

POINT：記憶と価値観
人間の人格を形成する「記憶」と経験から形成される「価値観」を読み出してコピーすることは、現代の科学では到底実現不可能である

複製されたロビタ

　AD2917、最初のロビタはロボット業者に引き取られ、

記憶中枢ごと複製された。その数は増え続け、AD3009には1日当たり520体も生産されている（漫画では「五百二十人ものロビタが誕生して」と人間のように表現されている）。

そして、ロビタはコネクテッドロボットである。コネクテッドロボットとは、ネットワークによって別の何かと常に接続されている状態で稼働するロボットを意味する。

ロビタにはたくさんの機体があり、何らかのネットワークでお互いが接続されていることがわかる。なぜならば、アイソトープ農場で働くロビタ全員が死刑となる際に、世界中のロビタが同調して自殺するからである。この行動は、ロビタがお互いに通信していなければ実現しない。

現代のコネクテッドロボットの多くは、機能をクラウドに実装する。その方が多くの計算資源を使えるし、たくさんの開発者が参加して機能を向上させることが容易だからである。しかしロビタは、クラウドのような母体がどこかにあるような設計にはなっていそうにない。

現代のロボットをコネクテッドにする際に課題となるのは、ネットワーク技術の選定である。ロボットはPCのような小型コンピューターシステムであり、コンピューター用のネットワークで相互接続できる。今なら「コンピューター同士を相互接続させるのなんて簡

単」だと思うかもしれないが、意外とそうでもないのである。

　Wi-Fiを使って接続する場合は、ロボットが移動するたびにWi-Fiの基地局に登録しなければいけない。Bluetoothなら、ホストとなるスマホか何かが必要になる。simカードを挿す場合には、ロボットごとに通信契約が必要だ。

　最初のロビタは1体（1人?）だけなので、コネクテッドロボットとして設計されたわけではない。その後複製化される課程で、何らかの手段を使ってコネクトできるようになったと思われる。

POINT：ロボットのネットワーク
ロビタは、コネクテッドロボットとして設計されたわけではないが、コネクテッドロボットとして振る舞っている

ワタシハ人間デス

　AD3030、ロビタは人間の子供を死なせた嫌疑をかけられて処刑される。その際、全世界の3万6200体ものロビタが一斉に集団自殺を図る。ここで手塚は、ロボットに「死」という概念があると示している。

　通常、ほぼすべての動物は、死から逃れ、死から自分を守ろうとする本能を持っている。では、動物は自

殺しないのだろうか？　動物が自殺するかしないかは、学術的にはまだグレーだ。観察上は自傷行為や自滅行為は確認されているが、人間の自殺とは違うという確証が得られていないそうだ。

　人間が自殺する理由の多くは「終わりにすること」ではないだろうか。非常に悲しい、つらいことが継続して、それに耐えられなくなったときに自殺という選択をするのだ。しかしロビタの自殺は、それとは少し違う。

　ロビタが集団自殺をした意味は、「ロビタは一つである」という主張である。3万6200体にコピーされたとはいえ、元のロビタは1つである。3万超のロビタは1つなのである。ワンロビタが処刑されるのであれば、オールロビタが破壊されるべきなのである。

　もう1つは「自分は人間である」という主張である。繰り返しになるが、ロビタの中身は、AD2484にレオナとチヒロ（ロボット）の心が移植されたロボットである。つまりレオナという人間の記憶と意識が移植されている。ロビタは自分が人間であることを主張するために、本来ロボットが行うはずのない自殺をする。

POINT：ロボットの自殺
ロビタは自殺することで、自分がロボットではないと主張した

コンピューターに支配される社会への不信感

　その後話はAD3404に飛び、『未来編』に突入する。人類が滅びかかっている未来、世界には5つの都市が残っている。物語にはヤマトとレングードの2つの都市が登場し、それぞれハレルヤと聖母ダニューバーという人工頭脳に支配されている。人工頭脳と表現されているが、見たところ巨大コンピューターである。

　都市の幹部や政治家たちは、都市を管理する人工頭脳の指示を絶対に守らなければいけない。まるで崇拝しているかのようだ。そして、人工頭脳が決定した戦争によって、すべての人類が滅亡する。

　ここに描かれているのは、「コンピューターに支配される社会」への不信感である。これは、現代にも通じるものである。しかし、現代のAIはそこまで賢くない。物事を幅広く理解し、さまざまなことを考慮して全体像を把握したうえで判断を行えるようなAIはまだ存在しないだろう。

　今日、何かの決定にAIを活用している場合でも、AIは何かの判断装置として全体の仕組みの中の一部に活用されているのにすぎないことが多い。すなわち単なる道具である。定規みたいなものだ。レコメンデーションや占いのように正解が曖昧なものは、乱数発生装置やサイコロの代わりにAIを使っているにすぎない。

　もちろん、人工ニューラルネットワークを活用した単一機能の道具を、さらにネットワークとしてつなぎ

巨大コンピューター・
ハレルヤ
©手塚プロダクション

合わせていくと、より複雑な判断をする高度な道具に
発展する可能性は否定できない。それらをどんどんつ
なぎ合わせていけば、いつかは人のようにものを考え
るような装置へ発展するかもしれない。あるいは、現
在のような人工ニューラルネットワークだけでは、い
ずれ何らかの限界を迎え、そこまで発展できないかも
しれない。

POINT：コンピューターのエゴ
ハレルヤや聖母ダニューバーの描写には、コンピ
ューターに対する不信感が表れている。しかし、
現代のAIにはそこまでの機能はない

異なる判断をする、巨大コンピューターたち

　物語の中盤、ヤマトのハレルヤとレングードの聖母ダニューバーは、脱走した二級宙士、山之辺真人（マサト）の扱いを巡って対立する。

　ハレルヤは無形生物であるムーピーを毛嫌いし、ムーピーの１個体であるタマミをかくまっているマサトを抹殺しようとする。一方、ダニューバーはヤマトから逃げ出したマサトをかくまおうとし、双方異なる回答をするものの、結果としてどちらの人工頭脳も戦争を選択することになる（人工頭脳が、個々で違う結果を導き出す）。これは現代のコンピューターやAIでも起こり得ることである。

　「マサトの処遇をどうするかの判断」のような処理は、「最適化問題」と捉えられよう。マサトの処遇は中間変数のようなものだ。都市にはさまざまな状況があり、マサトとタマミの存在はその１つといえる。タマミを生かすか殺すかで、その後のさまざまなことが変化するだろう。そうした事柄を総合して、後々の結果を予測していくことが、最適化システムの役割と考えられる。

　この場合、ヤマトの状況とレングードの状況、そしてハレルヤに与えられた目的変数（何を最適化するか）とダニューバーに与えられた目的変数に違いがあれば、マサトの処遇をどうするかで意見が分かれるのは当然のことだろう。

猿田やマサトが作るヒト型電子頭脳

『未来編』の中で、国家に属せず僻地で独自に生物研究を行っている猿田博士やマサトは女性の形をした人型電子頭脳、すなわちロボットを製作する。猿田は恋人や妻や娘として女性型ロボットを作り、マサトは不定形生物ムーピーであった恋人（恋……生物？）タマミをかたどったロボットを作る。

　これらのロボットの共通点は、話し相手としての人間らしさを求めたにもかかわらず、それが実現できないもどかしさだ。ここは、前出のロビタと比較される部分だ。ロビタには人間レオナの心が移植されている。このため持ち主に逆らったり、ある日突然「ワタシハ人間デス」などと言い始めたりした。

　一方、猿田は自分が作ったロボットが話していることは自分が吹き込んだことを再現しているにすぎないことに腹を立て、喋る機能をロボットから取り外す。マサトは、タマミ型のロボットがまともな会話ができずおかしな言動をするのに腹を立て、何十体も破壊する。

私も対話システムを繰り返し作っているが、その対話システムが何と喋るかは、作っている本人は分かっている。「好きよ」と喋らせても、それは自分が吹き込んだ言葉であり、本当に自分を好いてくれて喋っているわけではない。そしてむなしくなるのだ——「私が実現したいのは、こんなものではない」と。

　今、音声対話型のシステムは流行の波に乗っており、さまざまな発明や開発が始まったばかりだ。現在の対話型インターフェースのほとんどが質問応答型システムであり、応答を生成する部分のほとんどが、あらかじめ決められたプログラムである。一連の記憶の連鎖と価値観から作り出される人格のようなものを持って対話を進めているわけではない。大量のデータから統計的に応答を選択して話すチャットボットもあるが、論理的な会話はできない。

　しかし、だがしかしだ。最初はうまくいかなくても研究開発を進めていかなくてはならない。それが私たち研究開発者の宿命なのだろう。

POINT：人類の模倣
猿田もマサトも満足のいく会話ができる人型電子頭脳を実現できなかった。

『火の鳥 未来編』、および『復活編』に登場する「AIに近いシステム」について、さまざまな角度から解説

をしてきた。

　何より驚くのは、手塚が1960年代にこれだけの内容を描いていることである。その予見力に圧倒される。そして、現代のAIは、まだまだ未熟である。

　本編でも、『火の鳥』共通のテーマである「不死」と「復活」が、人工頭脳にからめて描かれている。脳の大半を人工頭脳化され、ロボットに恋をし、ロボットになることを望み、とうとうロビタになってしまうレオナ。

　そして「人工的なものはうまくいかない」とも書かれている。猿田が長年作ってきた人工生物はことごとく失敗する。猿田が作った人型人工頭脳もマサトが作ったタマミロボットもうまくいかない。だが、ロビタにはレオナの心が宿り、人間臭いロボットとなり、人気を博した。それはある意味、科学によるレオナの復活であり、ロビタはレオナの子孫である。

　私たちも猿田やマサトのように、日々、ロボットを作ってはがっかりし、作ってはがっかりしている。それでも私たちは進まなければならない。

第5章

『2001年宇宙の旅』

1968年／アメリカ合衆国・イギリス
監督：スタンリー・キューブリック
主演：キア・デュリア
写真＝Aflo

本章では映画『2001年宇宙の旅』（以下『2001年』）に登場する架空のコンピューターシステム、「HAL（ハル）9000」を取り上げる。『2001年』は、アーサー・C・クラークおよびスタンリー・キューブリックの脚本による1968年公開のSF映画で、2018年に公開50周年を迎え、リバイバル上映されたり4K Ultra HD Blu-rayが発売されたりした。ストーリーは続編となる1984年公開の映画『2010年』で完結するため、両作を視聴しないと話が見えない。さらに続編として『2061年』『3001年』があるが、本稿では『2001年』『2010年』のみを対象とする。

　『2001年』は、私の人生を左右した特別な映画である。小学生のときに読んだ雑誌の解説で、IBMがこの映画に技術協力をしたこと、HALはIBMが開発したコンピューターという想定だったこと、HALはIBMというアルファベットを1文字ずつずらしたものと言われていることなどを知った。そして中学生のとき、日本のテレビで初めて放映された本編を見て感銘を受け、進路指導シートに「IBMでコンピューターエンジニアになる」と書いた。大企業の一部の部署などを除いて、コンピューター装置などほとんどない時代であった。中学校の担当教諭は「IBMってなんだ？　コンピューターってなんだ？」と言う始末。大工だった父親にいたっては、よく仕事を手伝っていた私が工務店を継いでくれると思っていたのか、「大工にならないなら家を

出て行け！」と激高した。その後、初志貫徹で日本IBM
に入社して本当に家を出ていき、会社には28年間お世
話になった。

HAL 9000はメインフレーム

　HAL 9000は「一種のAI」である。まぎれもない。
IBMではIBM 1400、IBM 4380、IBM 3090、IBM 9370
といったように数桁の番号でシステム名を付ける。こ
れに倣ってHAL 9000としたとも推測できる。ハード
ウェアの構成は、巨大なコンピューターシステムが、
いわゆるシステム室においてあり、宇宙船の各所に端
末がある。

　若い人は知らないかもしれないので、コンピューター
ーの利用スタイルの変化を説明しよう。コンピュータ
ーは、だいたい次の3つのパターンを経て今に至った。

1. 単体利用型（スタンドアロン）

　最も初期の真空管で動いていたようなシステム。コ
ンピューターに入出力機能がついており、他の機器と
接続しない。パンチカードとプリンタが主な入出力だ
ったり、ネットワークで接続できなかったりした。

2. 端末利用型（ターミナルアクセス）

　システムに「端末機」という専用機器を接続して利
用するシステム。最も古い時代ではカードパンチ機＋

カードリーダー＋プリンタがセットの機器（Remote Job Entry: RJE という）を端末として遠隔操作できた。

　その後、メインフレームに接続するキーボード＋ディスプレイ＋プリンタの組み合わせになる。最も広く世界に普及したメインフレーム用端末は、IBM 3270 ではないかと思う。

3. 相互接続型（コミュニケーション）

　複数のコンピューターがネットワークを介して繋がっているシステム。2023年現在は、コンピューターの小型化とインターネットによるネットワークコストの激減により、そこいら中にコンピューターが存在し、ネットワークで相互接続されるようになった。

　PCもスマホもスマートウォッチもみなコンピューターシステムである。インターネットとその入り口となるイーサネット、Wi-Fi、LTEはみなネットワークである。クラウド事業者はそれらのネットワークを通して膨大なコンピューターをデータセンターで動かし、相互接続させている。

　HAL 9000は、2の端末利用型。端末が接続されたメインフレームコンピューターとして描かれている（作品中に説明がないので確定的には言えないが）。

　HAL 9000の機能のほとんどは、本作の中心人物であるボーマン船長がHAL 9000を停止させるために入る「LOGIC MEMORY CENTER」という大きな部屋

に置かれているようだ。船外活動に用いられるスペースポッドが置かれている部屋に横長の大きな箱があったり、人工重力の効いたドーナツ形のエリアにもHAL 9000の端末が置いてあったりしている。

POINT：HAL 9000の基本
HAL 9000はメインフレーム型で、乗組員がアクセスしているのは端末装置

お手本はSystem/360

現実世界では、1964年にIBMがSystem/360を発表し、プログラム式汎用コンピューターの時代に突入した。第1章でも写真を紹介したSystem/360は、HAL 9000をほうふつとさせる。

『2001年』はその時代に作られた映画である。それ以前のコンピューターシステムは、配線で機能を作ったり、集計や弾道計算を用途ごとに作ったりしていた。

1964年に開催した東京オリンピックで、初めてSystem/360が競技記録などの集計に使われた。IBMは2000年のシドニー大会まで長い間オリンピックシステムを提供しており、1964年の東京大会が初めてリアルタイム集計をした年だと聞いている。さらにSystem/360はアポロ計画にも使われており、スペースシャトル計画にまで活用されている。以下にHAL 9000のインターフ

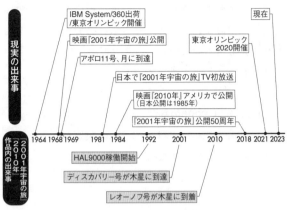

『2001年宇宙の旅』『2010年』作品内と、現実世界の出来事

ェースを1つずつ書き出してみよう。

①パンチカード

　初期のコンピューターにはスイッチしかついていなかった。次に大量のデータを読み込ませるために穴の空いたカード（パンチカード）が作られた。

　HAL 9000が「アンテナAE-35が故障した」と報告した後、ボーマンの要求でアンテナのデータを取り出すメディアがパンチカードである。

　現代のコンピューターはキーボードを使ってテキストデータを入力する。しかし『2001年』を通してHALにキーボード入力するシーンは一度も登場しない。

　ちなみに、『2010年』では、HALの開発者の1人と

されるドクター・チャンドラが、HAL 9000と同形機のSALに作戦名「PHOENIX」をキーボード入力するシーンがあり、キーボードも持っていることが示される。その後、HALの再起動時にもキーボードをたたくシーンがある。

②音声インターフェース

『2001年』で人間は、HAL 9000と音声でやりとりをする。これは音声インターフェースで、入力と出力は別々の技術である。

音声入力は「音声認識」（Speech Recognition、またはDictation）という。業界ではASRというのが標準的な用語である。現代のASR技術は、音声パターンを識別技術でテキストデータに変換するのが一般的で、テキスト入力装置だと考えることができる。

音声出力は「音声合成」（Speech Synthesizer）といい、TTSが最近の一般的な呼び名である。最近流行のスマートスピーカーも、人の声を聞き取り、発話するために内部ではASRやTTSを使っている。

③カメラ

HAL 9000には、そのイメージを象徴的にしている「赤い眼」がある。想定としては高解像度の広角カメラである。HALはこの眼で、人を見分け、スケッチを鑑賞し、唇の動きを読む。

④マルチモーダルHMI

インターフェースのことを最近はHMIと言うことも
ある。HMIは、Human Machine Interfaceの略だ。

HAL 9000にはキーボード、音声、カメラによる入
力と、スピーカーによる出力、ディスプレイによる表
示が備えられている。このように複数の入出力を同時
に使うHMIのことをマルチモーダルHMIと呼ぶ。

興味深いのは、HAL 9000にはマウスやタッチパネ
ルといったポインティングデバイスがないことである。
今では当たり前になったGUIやマウスのようなポイン
ティングデバイスが世の中に知られるようになるのは、
『2001年』制作以降のことである。

POINT:HAL 9000のインターフェース
**HAL 9000には、カメラ、マイクの入力とスピーカ
ー出力が組み合わされたマルチモーダルHMIが
搭載されている**

センサーネットワークと故障検知

HAL 9000はパラボラアンテナAE-35の故障を予想
し、乗組員に交換を勧める。話の進行的には、故障予
測は実はフェイクなのだが、それは置いておいて「アン
テナの故障を予測する」ということについて解説しよう。

2023年の技術でパラボラアンテナの故障を予測する

としたら、利用する技術はおおまかにはIoT（Internet of Things）と機械学習によるパターン学習である。『2001年』制作時にはこれらの技術はSFチックだったであろうが、現代はすでに実用化が進んでいる。

故障するのはハード

パラボラアンテナの故障には、さまざまな症状と原因があるだろう。

まず、電気回路の故障。パラボラアンテナにはアンテナ自身の機能としてノイズの少ない電波を飛ばす、受信する、という機能がある。電波処理の回路の故障といえば振動で故障しやすいコンデンサーやトランジスタが考えられる。

次に、サーボモーターの故障。パラボラアンテナには回転の角度を調整するためのサーボモーターが入っている。サーボモーターで壊れやすいのは、角度を測ろうとするポテンショメーターや、モーターのトルクを制御する回路トルクコンバーター（トルコン）だ。トルコンの故障の原因には、ホコリなどによるショート、機械部の動作不良による過負荷によって起こる発熱などがあるかもしれない。

さらにアンテナを実際に動作させるための稼働部＝機構がある。これらには軸、軸受け、ベアリング、ギアなどがあるだろう。長時間使用すると、可動部があるものは壊れやすく、ベアリングの動きが悪くなり、

ボールが割れ、ギアが欠けることがある。

センシングで大量のデータを収集

　こういったトラブルを「あと何時間で何％の確率で故障します」と宣言するにはどうしたらいいだろうか？現代のAIで行っている故障予測には、センシングと機械学習が使われている。

　多くのものがセンシングの参考になる。消費電力の変化、消費電力に乗るノイズ、ポテンショメーターの値、受信される電波の強度、電波に乗るノイズ……などなど。

　可動部の監視には音がよく使われる。人間の職人は、音を聞いて「この機械は調子が悪い」などとのたまうが、AIだって同じなのだ。モーター音、ギア音、ベアリングのきしみ音などをマイクで拾い、記録しておくのである。

機械学習で予測する

　前述のように「何でもないとき」と「故障したときの少し前」のデータが大量に存在する。
「この音の後に故障した」という印を付けることを「タグ付け」や「アノテーション」といい、普段の音と印のある音を集めたものを「教師データ」という。

　教師データを機械学習に読み込ませて覚えさせると、「この電流のパターンとこの音のパターンの組み合わせ

の後、この辺が壊れる可能性は何%」と予測できるようになる。この「何%」のことを信頼度（confidence）という。このような故障予測は実際に行われている。

機械学習で「何となく」がわかる

このようにたくさんのデータ（多次元という）を与えてそのパターンを覚えさせる手法の場合、「なぜそう予測できるのか」をプログラマーが客観的に説明できないことが多い。

多次元データを扱う機械学習AIには、「直観的にそう思う」という性質があるのだ。

少し前の予測技術では、人間の職人に「どういう場合に故障と考えられますか」とヒアリングを行い、その特徴をプログラミングしていた。そうすると、ある程度表面的に確定的にわかる場合にのみ反応する予測器ができて、職人の「何となく壊れると思う」といった曖昧なものには対応できなかった。

これがわかるようになってしまうのだから、機械学習は職人泣かせの技術なのである。

POINT：故障検知
AE-35アンテナの故障検知のような技術は、現代でも機械学習で実用化されている

スケッチを認識する

『2001年』では、何かをスケッチしているボーマンに HAL 9000が「見せてください」と言い、その絵がコールドスリープで眠っている「ハンター博士」だと言い当てるシーンがある。この会話をするためには、いくつかの技術的ハードルがある。

①推測

歩き回るボーマンを見て「仕事ですか?」と聞くために、「何かの作業で歩き回っているのだろう」とジェスチャー認識で推測する能力

②概念

ボーマンの「スケッチだ」という回答に対して「見せてください」と言うためには、ボーマンが手に持っているのが「その作品だ」という概念

③画像入力と処理

カメラ（赤い眼）でボーマンのスケッチを読み込み、画像処理システムでスケッチを観察する能力

④理解

紙に書いてあるものが「スケッチ＝絵」であると理解する能力

⑤ 識別

スケッチに書かれているのがコールドスリープ装置の絵だということ、さらに、中にいるのがハンター博士であることを識別する能力

紙、絵、コールドスリープ装置、博士という複数の概念が複雑になっていて、とても難しい。

今流行しているAIは、機械学習という技術がほとんどであるが、それは主に分類という装置である。「(0)こういう画像がハンター博士のスケッチだよ」と「(1)そうでないもの」とをまぜて大量の教師データを与えて覚えさせ、どちらなのかを当てさせるような機能である。

つまり、「仕事をしている」「スケッチをしている」「紙に描いた絵」「ハンター博士」というような概念を理解できているわけではないのである。

ただし、ボーマンが歩いてきたのを検知し、「仕事ですか」「スケッチだ」「見せてください」「ハンター博士ですね」というやりとりをするくらいの応答システムなら私にでも作れる。これは「人工無能」と揶揄されるようなシナリオ再生装置にすぎない。

読唇術

『2001年』の重要なシーンの一つが、ボーマンとプールがスペースポッドの中で話す様子をHAL 9000がカ

メラで見て読唇術を使うところだ。

　読唇は画像（または映像）のみで行われることと、人が声を発する際の唇の形状の種類には限りがあり、この「限りある種類」に分類することが出発点となる。すると、画像の「教師なし学習」という方法で唇の形状ごとに分類できると考えられる。

　口が「あ」の形をしていたら、母音が閉じたあと開いた「ま」「ば」「ぱ」のいずれか、舌が動いて見える「か」「た」「な」「ら」「が」「だ」のいずれか、など子音も少しだけ予測できるようになる。しかし、「た」「な」「ら」の違いなどを見分けることは難しい。

　そこで、音の並びから推測することになる。こういった並びの確率を当てる技術としてHMM（Hidden Markov Model）やCRF（Conditional Random Field）といった「確率モデル」と呼ばれる手法が使われる。

　たとえば、連続する口の形が「ま｜ば｜ぱ」→「た｜な｜ら」→「て｜ね｜れ」のように見えるとき、辞書の中からいちばん近い音を探し出し、「これは『またね』と言ったのではないか？」と推測するのである。この処理方法は、音声認識で使われるものと近い。

　読唇技術は音声認識よりも曖昧な情報が多く、まだ研究の進んでいない分野である。人が聞くよりも読唇の方が苦手なように、機械も唇の読み取りは苦手なようである。

> POINT：読唇術
> **HAL 9000が行った読唇術は難しい技術である**

コンピューターは人間を殺すのか

「自分が宇宙船の制御装置から切り離され、責務を果たせなくなること」を恐れたHAL 9000は、すべてのクルーを抹殺しようとする。ここに至る経緯を説明しよう。

まずは本作の中心的存在、モノリスについて触れておく必要がある。モノリスは辺が1：4：9の板状の直方体で、光を反射しない謎の四角柱である。HAL 9000は「モノリスの存在は極秘」「モノリスの調査をする秘密ミッションがある」という指令があったうえで「単独で行動できるようにプログラムされている」（『2010年』でドクター・チャンドラによって明かされた）。しかし秘密を知らないボーマンとプールによって、HAL 9000は排除されそうになる。HAL 9000はこれらを総合して、「人間を殺害することにより目的は達成される」という論理を導き出したわけである。このような推測は現代のAIでも可能だろうか。

現代のAIは、先ほど説明したように分類器である。「どれにするか選択する」ということだ。つまり「殺す」という選択肢が存在すれば、それを選択する可能

性はある。

　HAL 9000が置かれたシチュエーションを、RPG（ロールプレイングゲーム）のようなものだとしよう。RPGにはさまざまな得点、減点がある。もちろん「モノリスの調査の完遂」が最も大きな得点である。減点は「HALシリーズの失敗が汚点になる」とか「自分が切り離されてしまう」とか「自分が止められてしまう」とかかもしれない。

　そのようなさまざまな選択肢が与えられ、それが進むにつれ得点数が集計されるようなシステムを作ったとする。そして、この行動の組み合わせによって最も高い点数を得られるものを選択するようなシステムは作れるかもしれない。実際、ブロック崩しゲームを自動的に覚え、あっという間に習得したシステムが公表され、話題になったことがある。

　いくつかの行動を集計して最適なものを選んでいくシステムは、「予測」と「最適化」というジャンルのシステムである。チェス、囲碁などの対戦システムはそういった技術を突き詰めたものである。

　ブロック崩しで高得点を上げたり、自動運転のロボットが自然にぶつからなくなるように自動チューニングしたりするようなシステムは、機械学習の応用によって成り立っている。

　HAL 9000も、そういった予測、最適化、学習モデルを内部に潜めていて、さまざまな計算のうえで行動

したことで、殺害、およびHAL 9000自身が単独で調査をする道を選択したのかもしれない。作中のダイアローグを引用する。

デイヴ："Open the pod bay doors, HAL."（ドアを開けてくれ、HAL）

HAL 9000："I'm sorry Dave, I'm afraid, I can't do that."（すみませんデイヴ、申し訳ありませんが、それはできません）

最初の殺人を犯し、人間に反抗を始めたHAL 9000だが、言葉はプログラムされたように丁寧だ。

POINT：コンピューターの犯行
HAL 9000は、予測、最適化、学習モデルなどの総合的判断で犯行に及んだ

私は夢を見ますか？（Will I dream?）

2001年に木星の軌道に置き去りにされたディスカバリー号に、ロシアのレオノフ号に乗ったドクター・チャンドラが2010年に降り立つ。その後さまざまなことが起こるが、最後にHAL 9000にお別れを告げるシーンがある。

"Will I dream?"（私は夢を見ますか？）

HALが尋ねると、ドクター・チャンドラは涙を流し、声を震わせ、かすれた声で "I don't know."（わか

らない）と答える。

ドクター・チャンドラは地球にいるときに、SALからも同様のことを聞かれていた。これは、「夢」という概念の理解、「機械（AI、ないしはコンピューターシステム）は夢を見ないだろう、と思われている」という事実の理解、そして自分の可能性に対する期待や興味がないと発生しない疑問である。

これまで幾度となく解説してきたが、現代のAIは「弱いAI」であり、非常に単純な「分類器」でしかない。分類器の組み合わせだけで高度な知性が生まれるのだ、という考えを持つ研究者もいるようだが、それは現代では未知の領域である。

そして、私を含め、世界中のAI研究者・技術者の多くが、「私は夢を見ますか？」と自然に問い掛けてくれるAIシステムを作り出すことを「夢見て」いるのである。

第6章

『ブレードランナー』

1982年／アメリカ合衆国・イギリス領香港
監督：リドリー・スコット
主演：ハリソン・フォード
写真＝Aflo

『ブレードランナー』（*Blade Runner*）は、1982年に公開されたSF映画の名作である。原作は、1968年刊行のフィリップ・K・ディックのSF小説『アンドロイドは電気羊の夢を見るか?』（*Do Androids Dream of Electric Sheep?*）であるが、映画では設定が少し変えられており、完全に同じものではない。本項では、上記の映画、および小説とともに、続編となる前日譚3作品──2017年にインターネット配信された──『ブレードランナー ブラックアウト2022』『2036：ネクサス・ドーン』『2048：ノーウェア・トゥ・ラン』と、同年に公開された長編映画『ブレードランナー2049』を通して解説する。2022年はブラックアウトが起きた設定年であるが、現実世界は新型コロナウイルス感染症（COVID-19）という別の脅威にさらされている。

さて、一連の作品で主なテーマとなるのが人造人間である。人造人間たちは「オフワールド」と呼ばれる宇宙植民地への人類移住計画をサポートするために生み出された、とされている。その一部が雇い主を殺害して脱走し、地球へ逃亡したため、警察がそれを処分（解任：retirement）しているという設定だ。この処分を担当する警察官が「ブレードランナー」であり、小説では「賞金稼ぎ（バウンティーハンター）」と称される。また、人造人間を映画では「レプリカント」と呼び、原作小説では「アンドロイド」と呼んでいる。

レプリカントの知能はAIか

　最初の疑問は「レプリカントの知能はAIか」ということである。小説では、人造動物のほとんどが「電気仕掛け」として表現されており、「電子回路を内蔵したニセモノ」「オート麦への向性回路が内蔵されている」「制御機構の隠しパネル」「発声テープがひっかかった」という表現も見受けられる。タイトルにもある、物語の主役のブレードランナー、リック・デッカード（映画で演じたのはハリソン・フォード）が屋上で飼っている電気羊もその一種だ。

　一方、アンドロイドたちには制御パネルのような表現は一切登場せず、人間と見分けがつかないことになっている。映画作品ではそちらに合わせ、動物にさえも「制御パネル」のような表現は見当たらない。つまり、映画作品以降では、人工物である動物および人造人間は、すべて遺伝子工学により作り出された人工生命体であり、電気仕掛けの機械だというイメージを持たせないようにしている。そのため「アンドロイド」という言葉を避け、「レプリカント」という言葉が生まれたそうだ。

　背景として、レプリカントであることを確認するための「フォークト・カンプフ検査（Voight-Kampff Testing、以下VKテスト）」が挙げられるだろう。

　1968年の小説でのアンドロイドや1982年の旧作映画のレプリカントは、外見からは判別できる特徴がまっ

たくないという設定で、レプリカントが人間社会にもぐりこみ、容易には判別できないことが物語の重要なポイントとなっている。そのため、制御パネルのようなわかりやすい特徴は、むしろない方がよいのである。唯一「骨髄検査」を行うと、明確にレプリカントかどうかを判別できるとされており、処分済み（映画冒頭で"retirement"と表現されている）の身体を検査すれば判明することになっていた。

　旧作映画までは、最新型のレプリカントがネクサス6という製品で、人間より高い知能を持つと設定されている。『ブレードランナー2049』では右目の眼球下に製造番号が刻印され、判別が可能だという設定となっている。これはネクサス7以降の特徴である。

　旧作では、レプリカントを探し出すためにVKテストが必要で、『ブレードランナー ブラックアウト2022』以降では、右目の眼球下部を見ればわかる。このように、レプリカントは人工生命体であり、人間と同じように遺伝子配列を持ち細胞から成る生き物なのである。

　では、レプリカントの知能はAIだろうか？

　AIかどうかの答えは、AIの定義によって変わってくるだろう。小説には「ネクサス6型脳ユニットは、2兆個の構成要素の場を備え、1千万通りの神経回路の選択がきく」という解説がある。レプリカントの記憶は恣意的に作られたものであり、移植されたものという設定だ。この「植え付けられた記憶」は、全作品を

通して重要な位置付けとなっている。これらを総合すれば、レプリカントの脳は意図的に設計され、製造され、データを読み込ませたものと考えることができ、AIの一種であると考えることもできるだろう。

　ただし注意しなければいけないのは、現代のAIとはまったく異なるものであるということだ。

　レプリカントの脳は遺伝子によって構築された、あるいは育成、または培養された、動物（生物分類学上は昆虫も動物界に属する）の脳に近いものである。脳で実行されているタスクは幅広く、現代でも脳について解き明かされていないことが多過ぎる。

　一方、現代のAIは算術演算装置である汎用プログラマブルコンピューターを使って、ある一定のアルゴリズムを構築したり、統計確率計算を効率的に行ったりするシステムである。タスクとして何を行うか不明のものは恐らく存在せず、あらかじめ決められた回答、あるいは動作を確率によって決めているシステムにすぎない。つまり、まったく異なったものであると言わざるを得ない。いや、より正確には脳の活動が完全に解明されていないので「異なっている」とも言えないのではあるが……。

　現代のAIでは、実行されているタスクの数は限定的であり、数学者によって考え出されたアルゴリズムによって実行されていることが多い。また、AIと呼べるもののほとんどが「統計的確率計算機」であって、確

率計算が行われた後の振る舞いは、プログラムされた
ソフトウェアであることが多い。近年はディープラー
ニングの発達により、読み込ませた大量のデータから
導き出される答えは説明が難しくなってきてはいるが、
多くのアルゴリズムは「手作業で作られた＝プログラ
ムされた」ものである。

POINT：人工知能とは
**レプリカントの知能は、現在のAIとは懸け離れた
ものである**

フォークト・カンプフ検査

　小説および旧作映画において、話の展開に重要な位
置付けを持つ事柄の一つがVKテストである。

　訓練を受けたブレードランナーがフォークト・カン
プフ装置を使ってレプリカントにインタビューを行い、
身体反応を装置で検出し、採点することで「人間か？
レプリカントか？」を判別するテストである。先述し
たように、ネクサス6までのレプリカントでは、こう
いったテストをしないとレプリカントであることが外
見からは判別できなかった。

　ちなみに、映画に登場するフォークト・カンプフ装
置の他、街並み、銃（ブラスター）、空飛ぶ警察車両
（スピナー）を含め、メカニカルデザインはシドニー・

ジェイ・ミード（Sydney Jay Mead）氏、通称シド・ミードによるものだ。2019年、秋葉原近くで開かれた彼の展覧会を観に行ったのがなつかしい。

　VKテストはチューリングテストがそのアイデアの元になったといわれている。チューリングテストとは「人工的な機械がどれくらい人間的かを判定するためのテスト」とされており、イギリスの数学者アラン・チューリングによって1950年の著書『Computing Machinery and Intelligence』で提唱された（これは現実の話）。VKテストはチューリングテストとは正反対の意味合いで使われている。つまり、「被験者がいかに人間と違うか」を検査しているのだ。VKテストでは「わざと気に障るような内容の質問」を投げ掛け、その際の瞳孔の動き、発汗、筋肉の動きなどを測定している。これらの反応は人間の方が明確に発現し、レプリカントでは反応が遅れる、あるいは反応しないなどの違いがあるとされており、その違いを計算して判断する。意識的には制御できない身体反応をデバイスで検出しよう、というのがVKテストだ。

　また、チューリングテストはテキスト対話のみが基本となっている点が大きく異なる。現実の学術的な取り組みでは、チューリングテストにあるレベルで合格した、という実験結果もあるが、テキストのみで非常に限られたテストによるものだ。理由は明確で、音声認識、音声合成、肉体、といったものが介在した瞬間

に「人間かどうか区別がつかない」とはならないからである。「まるで人間のよう」が現在の最高レベルであり、完全に区別はつく。アンドロイドと呼ばれるヒューマノイドロボットを作成している有名な先生がいらっしゃるが、世間にまぎれこみ、人間と見分けのつかないボディーを持ったアンドロイドは、現実の世界ではまだ作れない。

　肉体が存在する場合、対峙する人間にとって情報がずっと多くなる。このため人間と区別がつかないようにするハードルはずっと高い。チューリングテストに該当するような、外見を含めて「どれくらい人間に近いかを判定するテスト」も、いずれ必要になるだろう。

人間は動物である

　VKテストが調べている感情の動きが身体の物理的な変化に現れることを「情動」という。

　感情とは、動物的というよりは人間的な心の動きのように思われがちだが、実際にはとても動物的な反応である。情動反応の多くが、野生の直感的な反応と関係しており、動物的である。たまに忘れている人がいるので思い出してほしいが、人間は動物である。

「同種の動物の死は怖い」「かわいそう」といった感情は、人間だけでなく高度な脳を持った多くの動物が持っているようだ。「異性に強い興味を示す」「社会で成功したい」というような感情も、群れを作り繁殖す

る人間という動物の本能的な感情である。

　設定では、レプリカントにはそういった情動が起こらない。特に、話し掛けられた内容に対して感情移入が起こらないため、とされている。それもあって、VKテストは「フォークト・カンプフ感情移入テスト」とも呼ばれる。

　そして、情動反応の研究は現実世界でも実際に行われており、AI研究分野の一つでもある。

　たとえば瞳孔の動きについての研究がある。猫が好きな読者であれば、狙いを定めて飛び掛かる直前に猫の瞳が大きく開くことをご存じであろう。これは、攻撃性を持って飛び掛かる瞬間に、瞳に一時的に光を多く取り入れ、狙いを定めるため、といわれている。

　実は、これと似たような現象が、人間にも起こるそうだ。周囲の明るさや血圧による瞳孔反射に比べて、人間の瞳の情動反応は猫などより少ないと考えられているが、興味を持ったり、怒ったり、笑ったりするとき、ほんの少し瞳孔の大きさが変わるそうである。たとえば、好意を持った人の前では瞳孔が広がる傾向があるそうだ。そのため「瞳が大きい」＝「自分に好意を持っているかもしれない」→「魅力的に見える」という考えも成り立つらしい。だから瞳を大きく見せるカラーコンタクトレンズが人気なのだろう。

　そこで、明るさや血圧の変化を加味して、瞳孔直径の変化が起きたときに心の動きを推測できないか、と

いう研究が実際に行われている。この検出に、近年ではやはりディープラーニングの技術が使われていたりする。「これは明暗反応」「これは血圧反応」「これは情動反応」といったように、周囲状況や人間のバイオデータと瞳孔の大きさのデータとともに、感情の変化を学習させることで「今、瞳孔が開いたのは興味を持ったから」という事実を検出しよう、という研究だ。

　そのような研究が進み、「ある質問をしたとき人間はこのように反応する、レプリカントはこう」という教師データが得られれば、レプリカントを見分けられるかもしれない（現実世界にはいないのだが）。そして、あなたが目の前にいる人に好意を持っていることがばれてしまうかもしれないのだ。

POINT：検査技術
フォークト・カンプフ検査に使われているような検出技術は、現実に研究されている

音声操作型3Dフォトビュワー

　旧作映画において、デッカードがレプリカントの隠れ家から押収した写真を閲覧するシーンに「音声操作型3Dフォトビュワー」が登場する。よく見ると、フォトビュワーでは写真の内部に入り込んで方向を変えて一覧することができている。つまり、この写真は平

面写真（2D）ではなく立体写真（3D）であることがわかる。『ブレードランナー2049』でも、主人公のKがドローンの映像を音声操作するシーンがある。これと似たような装置は、現代の技術でもある程度実現可能である。その方法を考えてみよう。

　まず写真。紙に印刷された平面写真のように見えるが、実は内部に非接触型の薄いICチップを埋め込めばいい。このICチップに3Dデータの写真を登録しておく。本記事の読者の多くがご存じだと思うが、今日では3D空間をデータ化することは一般的になっている。Google Earthのように街じゅうの構造をデータ化しているものもあれば、不動産会社が建物の内部を3Dデータ化して閲覧可能にしているものなどを見たことのある読者も多いだろう。このような方法を使えば、3Dデータは作成できる。

　次にビュワー。ICチップ入りの写真を専用リーダーに差し込むと、ICチップのデータを読み込み、ビュワーが起動するように作ればいい。今日では音声認識技術が以前より発達したので画面に向かって話し掛けるだけで大きさを変えたり、視点を移動したりすることが可能である。

　これらにおいて重要なのは、そういった基礎的な技術は、現代のAI技術によってその精度が格段に向上していることにある。たとえば、3D空間のマッピングデータを作る際に位置のズレを補正する技術だ。3D

空間のデータを取り入れる場合に、最初に使われるのは３軸加速度センサーである。これを使うと、データを取り入れる端末機器が向いている方向、傾き具合、移動方向、移動速度などを推定することができる。これにより、3D画像を取り入れることができるのだ。

しかし、これらのデータは完全に正確なわけではなく、補正が必要である。3D画像は複数の画像をつなぎ合わせて作っていくことになるが、位置や方向の検出にズレが生じている場合、画像が正しくつなぎ合わせられない。この補正において機械学習などのAI技術が役立っている。

たとえば、あるデバイスに搭載されたセンサーがズレを発生させる場合、そのデバイス自体の利用時に実データを使って補正する方法がある。このとき、どの程度ズレたかを学習させるのである。これはまさに、『わたしは真悟』の章でお話ししたキャリブレーションである。また、3Dデータを収集したとき、複数の画像をつなぎ合わせていくことになる。そのズレの検出にもディープラーニング技術が一役買っている。

また、ご存じの方も多いと思うが、音声認識は近年ディープラーニングの技術によってその精度が大幅に改善された。音声認識はパターン認識の一種のため、機械学習が適用しやすい。また、認識結果はさらに言語処理によって、前後の文字の並びから推測されてより正しい文字列へ修正される。ここにも機械学習の技

術が使われている。

POINT：空間の認識と再現

1982年には未来の技術と思われていた音声操作型の3Dフォトビュワーは、現代の技術で実現可能である

ウォレス社製のホームAI「ジョイ」

『ブレードランナー2049』で、Kが自宅で所有しているホームAIがジョイ（JOI）だ。物理的な肉体を持っておらず、ホログラムとして登場する。レプリカントでありブレードランナーであるKは当初名前を持っていないが、ジョイが「ジョー」という名前を付けてくれる。このホームAIも、ネクサス9を販売しているウォレス社の製品である。

　ホームAIは、ネットワーク接続されたクラウド型AIと考えることができ、対話型エージェントシステムである。もちろん、クラウドはウォレス社のものだろう。今日でも、ガラス瓶に入ったアバターと対話をするような製品が実在しており、その延長線にあるシステムと考えることができる。

　天井につり下げられた装置によって、空間上に3Dアバターのホログラムを映し出す。このようなホログラム技術はまだ発明されておらず実現が難しい。そして、

対話型システムとしてのジョイはKが話していることのほぼすべてを理解し、的確なやりとりができている。幅広い内容に対して対話を行うことを「オープン対話」というが、とても難しい技術である。

　現実の世界でも、人と人の対話の記録をもとに受け答えを選択するオープン対話システムは研究されているが、悪い意味で「適当な回答をするシステム」であって、決して実用的ではない。きちんとした会話をするには、物事を概念的に整理し、言葉を構造的に解析でき、それらを論理的に処理できる必要がある。それぞれに高い精度が求められ、現代の技術ではなかなか実現できない。前出の音声操作3Dフォトビュワーのようなインターフェースは「音声コマンド」と呼ばれるもので、厳密には対話ではない。動作するときに言葉を発声させることは可能だが、決められたからくりを再生しているにすぎず、これもまた「人工無能」と呼ばれるものにあたる。

AIに個性を持たせるには？

　クラウド型のアバターシステムであるジョイは、「エマネーター」と呼ばれる小型のデバイスに人格をコピーすることができる。エマネーターは、どうやら携帯型の3Dホログラムデバイスのようだが、人格のメモリを備えており、その中にジョイを入れることができる。デバイスが壊れると、ジョイの人格、あるいは記憶も

失われる、という設定のため、エマネーターへ移動したと考えるのが妥当だろう。今日でいえば、クラウドの写真庫にしまってあるデータをSDカードにコピーして、クラウド上のデータを削除したようなものだ。

　ジョイに人格があり、Kへの強い思いがあるとしたら、これは非常に危険な賭けだということを映画では表している。システム本体との通信を、アンテナを壊すことでたち切り、壊れたら自分が消えてしまうエマネーターへの移動──そうしてでもKについて行こうとするジョイ。ジョイの行動はあたかも「人格があり」「心があり」、Kに尽くしているように見える。どうだろう、これは自然に発生したものなのだろうか？　それとも、プログラムされたものなのか。

　もし現代の製品で同様に持ち主に尽くすようになるとしたら、恐らくそれはアバターが持ち主に尽くし、共感するようにメーカーが作っているだろう。ウォレス社の女性レプリカント・ラヴ（Luv）が「弊社の製品にご満足？」と皮肉気味に言うシーンが印象的だ。

　Kはウォレス社の謎を追うなかで自分の唯一のパートナーだと思っていたジョイを端末ごと破壊され、その後同形式のアバターに街中で再会する。アバターはまるで消えてしまったジョイのように、「ねぇ、リトル・ジョー」と優しく話し掛けてくる。それにより、ジョイが「いくらでも複製のできる個体」だということにKは気付く。ホームAIは、持ち主とのエピソードに

寄り添い、尽くし、いつでも優しく見守るように作られていたのだろう。

　それぞれの個体が同じような行動をする設定は、レプリカントに比べれば廉価版ということなのか？　現代のマーケットでマスコット型のロボットやアバターシステムを作る技術者にとって、ユーザー視点に立った示唆的なシーンであると感じた。システムに個性を持たせるにはどうしたらいいだろうか、と。

POINT：AIとのコミュニケーション
ホームAI「ジョイ」のようなシステムは、現代のAI技術では実現できない。コピーを配布するだけでは、ユーザーは不満を感じるだろう

ドローン

『ブレードランナー2049』では、前回までの作品には登場しないものがある。それはドローンだ。『2049』のスピナーの屋根部分にはドローンが装備されている。ウォレス社の飛行車では、フロアの下からも出る。これらは小説や旧作映画には登場しなかったものである。

　今日では私たちの日常で当たり前の存在となったドローン。そのためか映画にも普通に登場したのだろう。Kが使う警察車両の屋根に搭載されているドローンは、指で指図をすると周囲を撮影したり見張ったりできる。

木の根元に埋まっているものを深度撮影するシーンもある。これらを現代の技術で解説してみよう。

　ドローンそのものは、多くの人がイメージするであろうマルチブレードコプターではなく、よりスタイリッシュ方法で飛行しているようだ。Kが指を空に向けてくるくると回すと、周囲を巡回する指図ができている。これはジェスチャー認識（リコグニション）で、現在でもある程度実現できるだろう。人がどのようなジェスチャーをしたかを読み取る技術だ。今日では光学カメラとデプス（深度）センサーを組み合わせることで、大まかな対象物の位置情報を入力し、ディープラーニングなどの技術を使って、どのようなジェスチャーをしているかを学習して推測する。

　少し心配なのは、指の動きを詳細に読み取ることは困難だということだ。現在、手話の研究は多岐にわたっており、その中で手話のテキスト化という研究がある。手話ではほとんどの場合、指先と腕の動作で情報を表現するので、指の細かい動きも手話情報には欠かせない。口も動かすため、読唇も併用していると考えられている。

　手話のテキスト化は健常者が手話を理解するための研究である。聴覚障害者にとって、画面に表示される文字を読むのは大変な労力を要し、手話を直接読みとるほうが楽なのだそうだ。画像や映像から体の動きを読み取る技術をジェスチャー認識、モーション認識、

リアルタイム骨格認識などという。現代の技術では足や腕の動きをとらえることができるようになったが、残念ながら指の動きをそれらと同時かつ正確にとらえることはまだまだできず、研究の途上にある。特に手話では指を高速で細かく動かすことが多く、それに対応するためにはさらなる研究が必要だ。

　聴覚障害者がテレビ映像などに映る手話を読み取っていることを考えると、映像の解像度やフレームレート（1秒間に何枚の映像を使うか）が不足しているとは考えられない。つまり、人間は画像や映像から瞬時に指の形を認識できるが、残念ながら現在のAI技術はまだその域には達していないということだ。

　深度センサーとは、対象物までの距離を測定するデバイスである。近赤外線、ミリ波レーダー、音波などコスト、搭載サイズ、対象物、気候状態などによって適した選択肢がある。現代の技術だとドローンそのものにジェスチャー認識をするシステムをすべて搭載することは負荷が大きいため、認識部分は車体側で行うのが現実的かもしれない。センサーも、何セットかは車体側にある方が多角測定できるので、なおよい。

　そして、何をすればよいかが認識できた時点で自動操縦することになる。木の周りを巡回して撮影をする程度の自動操縦であれば、現代のドローンでも可能だ。基地へ自動で戻るドローンの映像を見たことがある読者も多いことだろう。

また、『2049』ではドローンが地中の写真を撮影するシーンがあるが、これは現代の技術では実現できないだろう。地面に特殊なマイクセンサーを大量に並べ、特定の音波を発生させる装置の反射波を使って地中の埋没物を大まかに測定する技術は、現代でも実現されている。これを地中レーダーやエスパー検査という。このため、ドローンで撮影するよりも地面に接触している方が地中のものを検出しやすいはずだ。

　現代の地中埋没物には、電線、光ファイバー、上下水道管、ガス管、それらをまとめる共同溝、などがある。反射波のデータを利用してこれらを識別するために、ディープラーニング技術が活躍する。映画のシーンでも車体側が測定をしていた可能性はある。

POINT：マシーンへの指示
ドローンへの指示を指さしや言葉で行い、自動操縦で写真撮影をする程度であれば、現代でも実現可能

レプリカントに必要な「希望」

　映画作品の共通の思想に「レプリカントが持つさまざまな希望」がある。

　小説や旧作映画で火星から逃げてきたレプリカントたちは、雇い主から逃れ、自由を手に入れたかった。

その逃亡レプリカントの中でも旧作映画でデッカードが追いかけるロイ・バッティは「より長い寿命」を求め、恋人のプリスを救いたかった。

『ブレードランナー　ブラックアウト2022』のレプリカントたちは、大切な子供の存在のデータを消去するために事件を起こす。そして、『ブレードランナー2049』でのショーン・ヤング演じるレイチェルによる出産は、レプリカント自らが数を増やせることを示した。生物学的には繁殖、および種の保存は生命の根源ともいえ、その事実を認めさせることによってレプリカントは生き残る地位を確立できると信じている。

これらの精神は、個々の成功や、繁殖することで種を保存しようとする地球生物の根本的な営みであり、アンドロイドやレプリカントのように人工物が——少なくとも現代考えられる技術において——自然と手に入れられるものではないだろう。ネクサスシリーズの人工頭脳は、人の営みを見聞きするうちにそういった感情を身につけたということが興味深い。

レプリカントのように個を認識し、意思を持ち、希望を感じるようなAIシステムが実現できるよう、われわれも努力を続けたいと思う。

第 7 章

『新造人間キャシャーン』

1973〜74年放送
総監督：笹川ひろし
©タツノコプロ

『新造人間キャシャーン』は、1973年から1974年にかけてフジテレビで放映された、吉田竜夫原作、タツノコプロ制作のテレビアニメシリーズである。「キャシャーンがやらねば誰がやる!?」のナレーションを覚えておられる方も多いことだろう。

　ロボット研究の権威、東光太郎博士が公害処理ロボットとして開発したBK-1が、フランケンシュタインの怪物よろしくカミナリによって命を宿した。その後、悪玉化してブライキング・ボスを名乗り、アンドロ軍団を結成。人類を滅ぼし、地球征服を目指す。東博士はこれに対抗するため、息子の鉄也を新造人間キャシャーンとして生まれ変わらせ、アンドロ軍団の侵略を阻止する、というストーリーだ。

　母親のみどりは、東博士によって白鳥ロボットのスワニーにその人格を封入され、スパイとして基地に潜り込みブライキング・ボスのペットになる。時折、月明かりによってホログラムで姿を現し、短時間キャシャーンと情報交換をする。飼い犬のラッキーは、ロボット犬・フレンダーとなり、キャシャーンと共に戦う。フレンダーは、「フレンダージェット!」「フレンダーカー!」「フレンダータンク!」といったキャシャーンの呼びかけで飛行機、バイク（名前は『カー』だが……）、戦車などに変身する。東博士の友人上月博士の娘ルナは生身の人間だが、アンドロ軍団のロボットを破壊できるマグネチック・フィールド光線を出すMF銃を持

ち、キャシャーンと共に戦う。

　最初のテレビシリーズは35話構成で、並行していくつかの学年誌で漫画連載もされていた。後に、現代風の画風とメカデザインでリメイクした1993年のOVA『キャシャーン』、ディストピア風の後日譚ぽい2008年のテレビアニメ『キャシャーンSins』、唐沢寿明がブライキング・ボスを、伊勢谷友介がキャシャーンを演じた2004年の実写版映画『CASSHERN』なども制作された。

　本記事では、1973年の昭和のアニメ作品を対象に解説する。また、キャシャーンは「不死身の新造人間」という超人的な設定となっており、「人の心を持つ」など、現代のテクノロジーと懸け離れ過ぎているため、キャシャーンの身体機能やロボット犬フレンダーを中心に語ることとする。

キャシャーンの自己治癒技術

　ストーリーを支えている重要な設定の一つが、「キャシャーンは不死身」である。アンドロ軍団は何千体という戦闘ロボットを所有しているが、人間側は、キャシャーン、フレンダー、ルナの2体と1人で立ち向かう。少数精鋭のキャシャーンは戦いの中で傷つくこともあるが、自然治癒してしまう。

　人工物は強く長持ちというイメージがあるが、壊れるという事実もある。数千年前に作られた宮殿が発掘

され、保持された状態で見つかることがあり、人工物は強いと思われがちだが、形を留めているのは自然石であり、人はそれを削ったにすぎない。人工素材であるコンクリートは、木材に比べて風水に強く加工が楽であるため採用されがちだが、何百年ももつわけではない。

そして、多くの人工物の寿命は人間の寿命より短い。コンピューター系のシステムはなおさらで、現代のハイテク系製品の寿命は10年程度だ。

人間を含む地球の生命体のうち、比較的複雑な多細胞生物には自己治癒能力がある。多細胞生物のほとんどは、1個の細胞から分裂したさまざまな役割に分かれた細胞の集合体で作られており、その分裂活動を続けることで生態全体が作られている。個体、すなわち細胞のクラスタが少し傷ついても、その細胞分裂をある程度やり直すことで修復ができるわけだ。ロボットのような人工物は組み立てることで出来上がっているため、細胞分裂をやり直せない。

筆者はこの分野に詳しくないが、現代の技術による人工物の自己治癒の例を解説しよう。

今日の人工物のほとんどには比較的短い寿命があり、エンジニアによるメインテナンスが必要だ。人の手によってメインテナンスが行われずに長期にわたって運用されているものは人工衛星や惑星探査ロボットくらいだろう。非常に長く運用されている宇宙探査機「ボ

イジャー1号」は、1977年に打ち上げられてから46年たち、太陽系の外縁部に到達しており、今でも観測データを送っている。そんなボイジャーも、壊れれば修復できない。ちなみに、SF小説や漫画の中には、原子力が積まれているものが何百年も何万年も動作するという設定があるが、原子炉こそ細やかで継続的なメインテナンスが必要だ。

　保守が必要なく自然治癒する技術として、自己治癒コンクリートがある。コンクリートにある種の休眠状態にしたバクテリアを混ぜ込んでおくと、ひび割れなどができた際に、空気と水に触れてバクテリアが目覚め、一緒に混ぜ込んでおいた乳酸カルシウムから炭酸カルシウムを生成してひび割れを補修する、という技術である。自然治癒コンクリートは、人による保守が難しい橋脚などに使うと、保守コストを大幅に抑制できるそうだ。ただし修復は数回程度が限界で、永遠に修復されるわけではない。一度活性化したバクテリアは再度休眠するわけではないし、乳酸カルシウムを使い果たせばそれ以上は修復できない。

　樹脂などの世界ではポリロタキサンという分子構造が注目されている。樹脂をカッターで切り離し、くっつけると元に戻る、という紹介映像を見たことがある人もいるだろう。このような技術は徐々に実用化が進められている。現代のロボットは金属やプラスチックなどで外装が作られていることが多いため、転倒する

と負荷が大きく、破損の原因になりやすい。自己修復樹脂をロボットの外装に適用できれば、多少外装が壊れても、「くっつければ修復する」という使い方ができるかもしれない。

POINT:構成素材
キャシャーンの外装は自己修復樹脂で作られている

キャシャーンの活動エネルギー「太陽エネルギー」

　キャシャーンの活動エネルギーは、エコロジーなことに太陽エネルギーである。第15話で1度だけ話題にあがるが、フレンダーは原子力のようである。アニメが放映された1973年ごろは、ソーラーウォッチや、太陽電池が付いたリモコンが登場するなど、太陽エネルギーに注目が集まり始めた時代だったのかもしれない。当時はあまり一般化していなかった太陽エネルギーは、現代社会ではいろいろな場面で実用化され、身近にもなっている。

　まず、太陽エネルギーがキャシャーンの活動エネルギーとして十分なのか検討する。

　皆さんは「一反（いったん）」という言葉をご存じだろうか。日本の古い尺度「尺貫法」の面積単位で、一反＝10畝（せ）＝300坪（つぼ）で、メートル法では991.74㎡だ。尺貫法の

一反は田んぼの大きさを示しており、一石の米（およそ2.5俵、150kg程度）を栽培するのに必要な田んぼの面積とされていたそうである。一石とは1人分の食料を賄える面積のことだ。

「太陽エネルギーの話をするのになぜ田んぼ?」と首を傾げる人もいるだろう。これには理由がある。人間は生命活動エネルギーをすべて食事から摂取しており、主食である米もまた太陽エネルギーによる光合成から作られている。つまり、米に含まれる炭水化物は蓄電池のようなもので、そこに蓄えられたエネルギーの素は太陽光である。そのように、私たち人間を含む動物のほとんどは、光合成によって集められた太陽エネルギーを、炭水化物の摂取によって得ながら活動しているのである（地熱で生きる動物もいる）。

　人間が必要とするエネルギーを現代の食事から考えてみよう。成人男性の食事からの摂取エネルギーは、カロリーで語られることが一般的だ。農林水産省の「一日に必要なエネルギー量と摂取の目安」(https://www.maff.go.jp/j/syokuiku/zissen_navi/balance/required.html) によると、日本人成人男性の1日の摂取エネルギーは2400〜3000kcalとされている。この数字からエネルギーを換算してみよう。カロリーをワットに変換するには、以下の式を使う。

　1cal = 4.184x（ワット秒）

calはカロリー、xは秒数である。ワットは電力であり、エネルギーは電力と時間を乗算する必要がある。この式に当てはめると、最大値の3000kcalは、「3000×4.184 = 12,552キロワット秒」であり、さらに3600秒（1時間）で割り、「3.49キロワット時」である。これを24時間で割ると「145.3ワット」となる。平均値ではあるが、145ワットあれば、日本人成人男性が1日活動できるということになる。

　太陽電池パネルもそうだが、太陽光は日中短い時間しか当たらない。筆者が太陽電池パネルを自宅で運用していたころは、朝日が昇るとほんの少しずつ発電量が上がり、南中時刻にピークとなり、また徐々に下がった。このピークが最大エネルギーだとして、モデル化してみる。

　昼夜が同じ時間の春分と秋分の日を参考にする。朝6時から夕方6時まで、正午をピークに太陽光が増え、また下がると設定すると、ピークのエネルギーの24時間分の4分の1が、1日の太陽光エネルギーの享受量と考えられる。これは、実質最大100ワット出力する太陽電池パネルが天気の良い日に最大で出力できる電力は、「100（ワット）×24（時間）／4 = 600ワットアワー程度」だということだ。

　ただし、曇りや雨の日はぐっと下がることも知っておいてほしい。暗い雨の日はほとんどゼロに近くなる。キャシャーンが雨の中で動けなくなるシーンがあるの

124

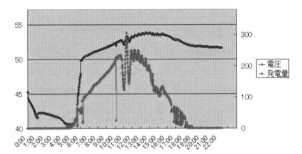

筆者の自宅に設置していた太陽電池のデータ。発電量は6時に増え始め、12時にピークをむかえたのち、減少している。

はこのためだ。

エネルギーの変換効率

　次にエネルギーの変換効率を考える。変換効率とは、「太陽光のエネルギーのうち、どれくらいを電力に変換できるか」の比率である。今日マーケットで高いシェアを持つ太陽電池パネルは単結晶シリコンというタイプで、変換効率は20％程度が一般的、より効率の良い高価なものだと30％を超えるものもある。およそ80％のエネルギーは光として反射して空に逃げたり、熱になって大気に吸い込まれたりする。

　ところで、地表に降り注ぐ太陽エネルギーは、経済産業省資源エネルギー庁の「太陽エネルギーの基礎知識」によると、1㎡当たり1.0キロワットで、日本では800ワット、夜間、曇り、雨などの影響を考えると、

「年間平均で145ワット程度」だそうだ。何と、日本人成人男性の1日の必要エネルギー量とほぼ同じ。つまり、変換効率100%という状況下なら、1㎡の日照があればいい。1反なんていう大きな面積がなくても何とかなるのだ。

　ここまでの確認事項をまとめてみる。「日本人成人男性は平均して1日145ワット程度のエネルギーが必要だ」「それは、1㎡当たりの太陽エネルギーとほぼ同じである」「ただし、これは100%吸収できれば、という話」である。江戸時代の考え方では、1人を賄うための一反の田んぼは991.74㎡も必要だった。いかにお米のエネルギーの吸収効率が悪いかがわかる。ただし、お米はおいしい。

　キャシャーンが太陽エネルギーを吸収するとき、ソーラーメットという名のヘルメットに付いている三日月形が光る。あれが太陽電池パネルだろうか。あれでは1㎡はなさそうである。全身で吸収できるのであれば、何とか1㎡くらいあるだろうか？　それでも、ものすごく効率の良いエネルギー変換を行っていることが前提である。キャシャーンの戦闘能力を考えると、さらにエネルギーが必要そうで、実際にはこれだけで足りるのか心配である。少なくとも現代の技術では、そこまで太陽エネルギーを効率的に集めることはできない。

> POINT：太陽エネルギーの収集
> **日本人成人男性が活動するために必要な太陽エネ
> ルギーは1㎡分。しかし、キャシャーンの活動を
> 支える太陽エネルギーをソーラーメットで収集す
> るのは大変そうである**

フレンダーの耳

　シリーズを通してキャシャーンの闘いを助け、ピン
チを救う、最も頼りになる存在であるフレンダー。フ
レンダーは、犬と同様に耳がとても良い。フレンダー
の耳の能力について考えてみよう。

　現代の機械にとっての耳は「マイクロフォン
（microphone）」である。その誕生の歴史には諸説ある
が、150年近く前の1878年にエミール・ベルリナーが
電送のために発明したそうである。

　マイクロフォンには非常に多くの種類が存在する。
最も普及しているのはムービングコイル、またはリボ
ン型という発電するタイプのもの。いずれも「ダイナ
ミックマイクロフォン」と分類される。製造コストも
周辺装置も安価で済む。次に一般的なのがコンデンサ
ー型だ。ダイナミックマイクロフォンより少し音質が
良いが給電が必要なため、一般的ではない。

　ロボットの耳、すなわちマイクロフォンは、私たち

人間や動物の耳と同じく、入ってきた音からさまざまなことを解釈することが重要である。フレンダーは、キャシャーンやルナが話す言葉を理解しているようだし、キャシャーンの指笛に共鳴するようにできており、（距離に限界はあるだろうが）どこからでも駆け付ける。遠くから近寄るアンドロ軍団の足音にも敏感に反応する。これらの多くは「音声認識」「音認識」といった技術である。

　今日、音声認識や音認識を行う際に使われる重要な技術に、ローカライズ（Localize）とセパレーション（Separation）がある。ローカライズとは「方向付け」であり、音がどちらから来たかを知ること。セパレーションとは、ある方向から来る音だけを他の方向から届く音と分離することである。

　今日、一般の人の手元に普及しているデバイスのいくつかに、これらの技術は搭載されている。その最たるものはスマートスピーカーだ。スマートスピーカーに話しかけると、その声が聞こえた方向のLEDを点滅させ「聞いてますよ」と意思表示（するかのように動作）する。

音認識と音声認識

　多くの機器にはビームフォーミングという技術が使われており、3個以上のマイクロフォンを使って音の到着時間のズレを活用してローカライズとセパレーシ

ョンを同時に行う。そのような一組のマイクロフォン
をマイクロフォンアレイという。ローカライズによっ
て方向を決め、その方向の音だけを強調して聞き取ろ
うとする、という流れである。この技術は第二次世界
大戦時には既に英国の海岸のレーダーなどで実用化さ
れていたらしい。

　スマートスピーカーには、ムービングコイルでもリ
ボンでもコンデンサーでもないMEMSマイクロフォン
が使われている。MEMSマイクロフォンの内部構造は
コンデンサーマイクロフォンと同様のものだが、製造
工程が違う。

　MEMS（Micro Electro Mechanical Systems）とは、
LSI（大規模集積回路）などを製造するのと同じような
技術を使って、シリコンウェハーなどの上に微細な構
造を作る技術の総称である。このため、非常に小さな
マイクロフォン構造を作ることができる。スマートス
ピーカーやスマートフォンに入っているマイクロフォ
ンの多くがMEMSマイクロフォンであり、2㎜×3㎜
程度の長方形だ。

　MEMSマイクロフォンは、ビームフォーミングを行
うのに適しているといわれている。理由の一つは、小
さいので集積しやすいということ。それより重要なの
が、品質が均一ということだ。MEMSマイクロフォン
をシリコンウェハーの上に作る場合、同一のウェハー
の上に作るときに、最も特性が似通うという。そのた

め、同じウェハー上から作られたMEMSマイクロフォンだけを組み合わせてビームフォーミングを行うと、高い性能が期待できる。ビームフォーミングを行うには「性能の良いマイクロフォン」より、「均一なマイクロフォンの組み合わせ」が重要なのだという。

フレンダーの耳に話を戻そう。何の音なのかを聞き分ける技術は「音認識」という。人間の声で何を話しているかに限定するなら「音声認識」だ。音認識は「せせらぎの音」「種類別の鳥の鳴き声」「楽器の種類」などの聞き分けを意味する。以前MITを訪問したとき「パンダが今、何をしているのか」をパンダの首に下げたマイクロフォンで収集している研究を見学したこともある。

音認識も音声認識も認識（Recognition、またはClassification）技術であり、今日流行しているAI技術の「機械学習」「深層学習」の分野で、最も注目されている、あるいはお役立ち度が高い技術である。

音声認識の学習機能

AIにおける認識技術とは、多くの場合「用意された候補の中から、どれだと思われるか」の確率を計算する技術である。鳥の鳴き声を聞き分けるAIであれば、あらかじめ「カラス」「スズメ」などの鳴き声を登録し、分類できないものは「another」と識別される。音声認識の場合は、「音素（子音・母音）」「文字」「単語」「フ

レーズ」などを対象に複合的に分類し、こちらもあらかじめ候補となるサンプルを登録する。

　音声認識に使われる入力データ（機械学習の世界では特徴量という）は当然「音」であるが、学習機にかける前にいくつかの処理が必要だ。雑音や反響成分の除去などは音そのものをきれいにする事前処理といえる。デジタル処理における音のデータはサンプリング値であり、それをそのまま特徴量とすることもできるが、周波数特性に変換してから行う方法もある。なかでも高速フーリエ変換（FFT）はよく使われている技術だ。周波数特性の時系列データを入力して音素や語を推定した方が効率良く認識できるとされている。

　認識技術に使うべきマイクロフォンに重要なのは認識のしやすさである。認識に必要な音がきちんとシステムに届くことが重要であり、そのために音がゆがんでも構わない。

　また「音がシステムにとってどのように聞こえているか」も重要な要素である。搭載されるマイクロフォン、アンプ、AD（アナログ−デジタル）変換の組み合わせで、コンピューターシステムに届くデジタル信号は変化する。この信号（数値）を使って学習し、候補から選択するのである。このため、学習したときと判定するときのシステムの特性が同じであることが求められる。このような音の特性を示すデータを音響モデルという。

音声認識を提供するベンダーは自社が提供するデバイスで学習を進めるため、ベンダーのデバイスで最も性能が良くなる。この点で「フレンダーはキャシャーンの指笛に同調する」というのは納得のいくことといえる。フレンダーの耳は、キャシャーンの指笛の音響モデルを優先的に学習しているのだ。

POINT：音の認識
フレンダーの耳は高度な認識技術でできており、キャシャーンの指笛に最適化されている

人格を写しとる

キャシャーンには鉄也の、スワニーには母みどりの人格が写し入れられている。フレンダーはラッキーから作られたが、人格（犬格）がコピーされているかどうかは定かではない。

現代の科学では、人格や心とはどういうものであるか完全には解明されていないため、説明は容易ではない。しかし、さまざまなアプローチで解釈が試みられている。AIの世界では映像と音声といったデジタルメディアと、テキスト対話での「似たような反応」により人格を写しとったかのように感じさせる技術の研究が進んでいる。

見た目としては「顔」だ。写真が発明されて人の顔

は簡単に見た目をコピーできるようになった。かつて「写真を撮られると魂を抜かれる」という迷信を信じる人がいたというが、それほど顔を写しとることは人のコピーを作っている気分にさせるものである。

　現代の最新技術では、写しとった顔を画面の中で自由に動かすことができるようになった。その最先端の技術はディープフェイクと呼ばれる。敵対的生成ネットワーク（Generative Adversarial Networks：GAN）という深層学習AIを応用したもので、たとえば誰かが喋っている映像の顔だけを他の人に差し替えた映像を生成することができる。この技術を使えば故人が喋っている映像を作ることも可能であるため、過去の俳優が最新映画に出演することもできる。偽映像が出回ることで、社会問題にさえなりつつある。2018年には映画監督のジョーダン・ピールによるディープフェイク動画が話題になった。AIを駆使して制作されたこの動画では、バラク・オバマがドナルド・トランプを口汚く罵るのだが、どう見ても本物にしか見えない。

　次に「声」だ。AIにおける声は音声合成が中心となる。音声合成には、大きく分けてシンセサイザー方式とサンプリング方式がある。シンセサイザー方式は、人の声の周波数成分をまねて、異なる正弦波などの波を混合したりゆがませたりすることで人の声のように聞こえる音を作り出す技術。サンプリング方式は、人間の声を録音し、正しく喋っているかのように貼り合

わせる技術。

　前者は比較的自由度が高いため、感情を乗せられるが、少し機械っぽい音声になる。後者は音質が良く、とても自然な音声となるが、自由度は低い。サンプリング音声合成は、必要な要素が含まれた録音データがあれば誰の声でも生成できる点が重要だ。近年の音声合成はとても品質が良くなり、人間が喋っているのか音声合成なのか聞き分けがけっこう難しい。バス、駅、防災などの放送、ニュース読み上げなどに生かされている。ここにも深層学習技術が使われている。

　そして「行動」。現在 AI で研究されているものには身体研究が追い付いていない（人間と見まがうロボット体は存在しない）ため、多くの場合「対話」という形で人の行動パターンをコピーすることが進められている。たとえば、SNS のログを入力して「本人が書き込んでいるのではないか」と思わせるような bot を作ることも可能となっている。これは、他人からの書き込みを入力、本人の書き込みを出力として深層学習によってパターンを覚えさせ、新たな書き込みに対して反応を自動生成することで実現する。また、自然な文章にするために「文章生成」という技術も使われる。ある言葉の流れ（シーケンスデータ）から別の言葉の流れを生成する深層学習技術として Seq2Seq（Sequence To Sequence）という技術が注目されている。

　これらの技術を活用した人格コピーサービスも既に

商品化されている。しかし、顔、声、反応パターンなどを深層学習で写しとれるが、あくまでもコピーである点は理解しておかなければならない。人の人格、心、魂のようなものを「移動させる」わけではない。AIに自分を移動させ永遠に生き続けることができるわけではないのだ。

POINT：人格の再現
現代の深層学習AIを使って、顔、声、対話パターンなどを写しとり、画面上に再現することができるようになった。しかし、人格を移動することはできない

ブライキング・ボス

　ブライキング・ボス率いるアンドロ軍団は、キャシャーンより機械的に描かれている。軍団のロボットは鉄でできており、身体はさびに弱く、電子頭脳は電磁波に弱い。

　現代、世に出回っているロボットの外装は多くの場合アルミニウムのような軽金属か、FRP（繊維強化プラスチック）のような樹脂でできている。ロボットの動作にとって身体構造の質量は大きな問題であり、いかに軽量化できるかが主要な課題なのである。キャシャーンが空手チョップでロボットを破壊するシーンが

毎回のように登場するが、ロボットの外装は実は0.1ミ
リ程度の薄い膜でできているのかもしれない。そして
壊れれば工場で修理が必要だ。

　キャシャーンは太陽エネルギー、フレンダーは原子
力エネルギーで動くが、ブライキング・ボスは燃料で
動いている。作中では太陽＞原子力＞燃料というヒエ
ラルキーがあるように感じられ、当時、鉄腕アトムの
動力である原子力以上に太陽エネルギーは夢のテクノ
ロジーだった。このことからもキャシャーンとフレン
ダーはアンドロ軍団より特別仕様であることがわかる。
また、キャシャーンとスワニーには人の心が入ってい
るとされているが、アンドロ軍団のロボットはより人
工的である。不死身の自己再生能力もなく、太陽エネ
ルギーでもなく、人のコピーでもないのだ。

　さて、ブライキング・ボスとアンドロ軍団は、キャ
シャーンや人間がうらやましいだろうか。ブライキン
グ・ボスが第12話で食事をしているシーンが出てくる。
「人間と同じスタイルで燃料補給するのもよいだろう」
と言ってみたり、タバコを吸ったりするシーンまであ
る。ブライキング・ボスは自分たちを使ってきた人間
を憎み、取って代わろうとするためか、人間のまねも
する。そのようなシーンをいくつか抜き出してみる。

第９話：人間が音楽を愛する街を忌み嫌って攻撃する
第11話：人間が美術を愛する街を忌み嫌って攻撃する

　このような描写はなぜ生まれるのだろうか。

　もともと公害処理用ロボットだったBK-1が凶悪化し、ブライキング・ボスとして目覚めた背景には、「機械やロボットは人間の奴隷である」という思想がある。このため、ロボットを人間による支配から解放し、ロボットが人間を支配することを目指すという描写に繋がっている。このような描写をする物語は非常に多い。では現実はどうだろうか。今大流行りのAIやロボットは、人間の奴隷なのだろうか？

　現代のAI（ロボットの制御AIを含む）には、残念ながら「自分たちが奴隷のように働かされている」という疑念を抱くだけの能力が備わっていない──幸いなことに、の方が正しいか。

「AIやロボットは人間に憧れるのだろうか」「AIによって人格や心のようなものを作り出すことができるか」という議論は盛んに行われているが、まだまだ道のりは長い。いつの日か似たようなものはできるかもしれないし、永遠にできないのかもしれない。そして人間

の暮らしをAIが悟ったとき、「ああはなりたくない」と思う可能性だってある。

　AIに心のようなものができた日に、憧れられるような良い暮らしを人間は営みたいものである。

第 8 章

『ターミネーター』

1984年／アメリカ合衆国
監督：ジェームズ・キャメロン
主演：アーノルド・シュワルツェネッガー
写真＝Aflo

『ターミネーター』（*The TERMINATOR*）は1984年に公開された映画を皮切りとして映画、テレビドラマ、アニメなどの数多くのコンテンツを生み出したSF作品である。本章では本作品で語られる歴史的事実の全貌が綴られた『ターミネーター1〜4』の映画4作品を対象に解説していく。具体的には、サラ・コナーが最初のターミネーターに会う1984年から、息子のジョン・コナーが父親のカイル・リースと会うまでの物語となる。

　未来世界において、AIによって支配された米国の防衛システムが人間を抹殺するために核戦争を始めたことが背景にある、いわゆるディストピア作品だ。未来と言っても、制作年が1984年のため、すでに想定された時代を過ぎてしまっている点は目をつぶっていただきたい。

　サイバーダイン社が開発した防衛システム「スカイネット」が、米国防衛システムに採用され、人間を抹殺しようと目論んで戦争になっており、タイムトラベル装置を使って人間のリーダーであるジョン・コナーの母、サラ・コナーを殺害するためにロボット兵士を未来から送り込んでくるところから物語が始まる。今回は、スカイネットとそれを取り巻くたくさんのロボット群、その中に使われている知能システムについて解説していく。作品の中でもスカイネットは「AIである」とされており、たくさんのエピソードがあるため、

解説対象に事欠かない。

『ターミネーター』シリーズで、欠かせないのが俳優アーノルド・シュワルツェネッガーだ。第1作ではT-101、第2作ではT-800、第3作ではT-850、第4作でもT-800とされる暗殺ロボットに扮しており、一貫してすべての作品に登場する。量産型なのだろうが、この映画にシュワちゃんは欠かせない。シュワちゃんはタミちゃんなのだ。

Apple II と同じアーキテクチャー？

最初の作品『ターミネーター』で、映画公開年と同じ1984年に向けて、未来世界から1体のロボットと1人の人間が時間を超えて転送されてくる。ロボットはT-101型ターミネーター、そして人間はターミネーターが未来の戦争を未然に防ぐためにターミネート（terminate：殺害する）したい目標の人物サラ・コナーを守るために来たカイル・リースである。ターミネーターはサイバーダイン社製で、「サイバーダイン システム101（ワンオーワン）」とカイルが説明し、どちらも素っ裸の状態でやって来る。一応、設定では「生き物しか送れない」ということになっているからで、ロボットのターミネーターも生体細胞で外皮を包んでいて、外見はまるで人間である。

しかし、皮（肉）を剝いでみれば金属でできた骨格が姿を現す。ならば、肉巻きよろしくなんでも肉でく

るんで転送すればいいのでは……?　とかいう疑問はこ
こでは取り扱わないことにする。タイムトラベル装置
の技術は2023年のテクノロジーでは解説が難しい。

　人間の普通の生活の描画を観ると時代を感じる。レ
ストランでウェイトレスがタイムカードを差し込むシー
ン、カセットテープで音楽を聴くシーン、「チリリ
ンッ!」と鳴る電話など。私もそういう時代を生きて
いた。全部使ったことがある。

　1984年当時のSF映像作品としては、いろいろ考え
て苦労している。肝心のターミネーターはロボットで
あり「ものすごいものである」ことを印象づけるため
にさまざまな工夫が見てとれるのだ。強力であること、
金属でできていること、かなりの重量があること、強
靭で銃で撃っても壊れないこと、非常に知能が高いこ
と、などなど。

　ターミネーターが服を奪う人物を物色したり、逃げ
たサラ・コナーを追いかけるためにクルマを運転する
シーンでは、ターミネーターの目からの視界が描かれ
る。この映像は、まるで今日のAI技術の確認用可視
化画面のようであり、開発者はよく目にするものだ。
その映像にはプログラムが実行されているような文字
がいろいろと表示される。さて、この文字について確
認してみた。たとえば、サラを追いかけるシーンで表
示された、これらの文字列だ。

```
LDA    #PG3VEC
STA
STY
LDY
SEC
JSR

SETUP = move data for VTOC
and catalog to auxmem at
B000 - B3FF (pseudo trk 11
0 - 3)

SETUP    LDA #<VTOC
         STA  A1
         LDY  #>VTAC
         STA
```

　一見小難しそうなこの文字列はいったいなにを意味
しているだろうか。私のような古株ソフトウェア技術
者なら、これらの文字列はニーモニック（mnemonic）
だとすぐにピンとくる。ニーモニックとは、アセンブ
ラ言語というプログラミング言語の一種の命令表記方
法のことだ。少しだけアセンブラ言語のしくみについ
て解説しよう。

アセンブラ言語小史

　今日のコンピューター（計算機械）は、データの一部として処理命令を読み込み、その処理命令を順番に実行することで動作する。処理命令がたくさん並んだものをソフトウェアといい、プログラムともいう。プログラムは、コンピューターの命令がたくさん並んだデータであるが、このデータのことを機械語、またはマシン語という。基本的にバイナリーデータ（0か1、すなわち2進数）であり、0か1を表す単位を1ビットという。人間にとって1ビットずつ扱うと理解が大変なので、4ビットで1文字とし、8ビットを1バイトという単位で数える。このほうが人間の理解が楽だからである。

　たとえば「0a8b」とかいうと、2バイト16ビットということだ。4ビットは0,1,2,3,4,5,6,7,8,9,A,B,C,D,E,Fの16文字で表現できるため16進数という。ちなみに、本書でも何度か触れたIBM System360に命令する場合、「1A23」（System/360では文字を大文字で書く）なら、「AR R2,R3」（Add Register）命令で、レジスター2番の値にレジスター3番の値を足し算しレジスター2番に入れる、というものである。この「AR」の部分がニーモニックだ。ニーモニックは、計算機の処理内容を人間がわかりやすいように文字化したものだ。本来はマシン語だけがあればコンピューターは動作するが、これを人間がいきなり作るのは困難だ。筆者は

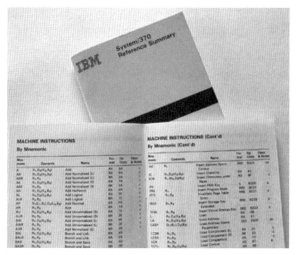

IBM System/370 のニーモニック一覧表（筆者所有）

学生時代にマシン語でプログラミングしていたことがあるが、とても大変だった。

　マシン語を直接書かず、ニーモニックとそれに付随する記号（オペランド）を書けばマシン語が生成される専用プログラム「アセンブラ」が作られた。記号で書くものはソースコードと呼ばれ、それをマシン語に変換するプログラムをアセンブラといい、さらにその記号の書き方をアセンブラ言語という。

　アセンブラとは「組み立てる」という意味のアセンブル（assemble）に由来している。このアセンブラ言語の、命令を表記するための記号がニーモニックだ。

「マシン語とかアセンブラとか古臭い」というIT技術者もいるだろうが、今日の最新のコンピューターも、中身はこういうものでできている。CPU、メモリ、プログラムの関係は変わらずノイマン式だ。ノイマン式とは演算装置（Processing Unit: PU）と、記憶装置（メモリ）にプログラムとデータを置く、という基本構造のことである（より正確にはプログラムもデータである）。

PUにはプログラムカウンタ、アキュムレーターなどのレジスターという種類の高速記憶装置がある。プログラムカウンタはプログラムのどの部分を実行中なのかを保持するもので、アキュムレーターはメモリとの間でデータをやりとりし、四則演算をするためのものである。

PUが直接処理するのはレジスターである。人間がPUだとすると、レジスターがそろばんで、メモリは用紙と考えてみる。用紙に手順が書かれており、どこまで作業したかを記録しておくのがプログラムカウンタ。用紙に書かれている手順に従って、用紙から読み取ったデータをそろばんに打ち込み、別のデータを足し算して、用紙に書き込む、というような説明を初心者向けにしたことがある。

そろばんの上で計算するのは速いが、用紙から写したり書き込んだりするのには時間がかかる、というのがレジスタとメモリの違いだと考えればよい。このよ

うな動作の基本概念がノイマン式として知られている。

　ジョン・フォン・ノイマンの名前に由来するが、氏が1人で考案したわけではないとか、いろいろな逸話がある。PUは後に、浮動小数点装置（FPU）、グラフィカル演算装置（GPU）などが周辺に付加されるようになり、主なプログラム処理をする部分を「中央演算装置（CPU）」と呼ぶようになり、一般に広く知られるようになった。

　その後1950年代に、より人間の言葉（ほぼ英語）に近い感覚での入力を可能にした高級言語（High Level Language: HLL）がアメリカ海軍のグレース・ホッパーの功績により登場するが、ここでは直接関係がないので言及を避けよう。現在あるものを見てもCOBOL、FORTRAN、PL/I、C/C++、Smalltalk、Java、JavaScript、PHP、Ruby、Pythonなど、言語の種類を列挙すればキリがない。そういったものでマシン語、アセンブラ言語をまんじゅうの皮のようなものでくるんでいるに過ぎない。人間の脳でいえば、マシン語やアセンブラ言語が人体全体からの感覚情報を集める視床下部や小脳で、高級言語がそれらをもとに神経細胞に命令を出す大脳皮質のようなものといえる。

　マシン語とアセンブラ言語はコンピューターのアーキテクチャーによってまったく違うものである。コンピューターにはさまざまな流派があり、性能、価格、プログラミングのやりやすさ、機能などでメーカーか

ら選択されてきた。今日、パソコンで最も広く使われているコンピューターアーキテクチャーはIntel x86かARMから派生したものではないかと思う。

サイバーダイン社の正体

さて、ターミネーターはどうだろうか。そのヒントが、前々項のニーモニックの図に隠されている。LDA、LDY、STA、STY、SEC、JSRといったものだ。これらをニーモニックと考えるとなにがわかるか?

これらのニーモニックを使っていた1984年当時のコンピューターは、年代から考えるとモス・テクノロジー社のMOS6502である。特徴はLDYの文字にあって、これは「Load Index Y」という命令で「インデックスレジスターYにデータ(通常はアドレスかページ番号)をロードする」という命令である。LDAはLoad Acumulator A、STAとSTYはストア命令、SECはキャリーフラグのリセット命令、JSRはサブルーチンの呼び出し命令だ。先に説明したように演算装置はメモリからデータをレジスターに読み込み、計算し、メモリに書き出す。メモリからレジスターにデータをコピーすることを「Load(ロード)」といい、レジスターからメモリにコピーすることを「Store(ストア)」という。私が知るかぎり、この関係は世界中のコンピューターアーキテクチャーで共通である。

実はメモリとストレージ(HDDやSSD)でも同様で、

より遅いストレージから速いメモリにコピーすることを「Load」、逆を「Store」と呼ぶのが一般的で、別の言葉で「Input（入力）」「Output（出力）」が一般的である。ところが、日本人のエンジニアには「ファイルから読み出す（read out）」とか「ファイルに書き込む（write in）」と言う人がけっこういて、混乱の種になっていると感じる。そうすると、「ファイルから読み出すためにはInput命令を使います」のようになってしまうからである。主に英語を使うエンジニアで、そのように話す人を見たことがない。

キャリーフラグ（またはキャリービット）とは、レジスターによる演算時に桁溢れを起こしたときに一時的に保持するためのものだ。サブルーチンとは、プログラムの中でさまざまなところで同じ処理を行うことがある場合に、1箇所に書いておき、必要なときに呼び出して処理し、処理後に呼び出し元に戻す、というプログラムの保持方法である。MOS6502は、モトローラ6800プロセッサの後継としてモトローラから独立したチームが再設計したもので、このインデックスYレジスターを持っていることが特徴である。

そしてここで重要なことは、このMOS6502プロセッサを搭載していた製品としてApple Ⅱがあることだ。Apple社は今日、総資産額世界最大級の大企業であるが、世界で初めてホームコンピューターとして発売されたApple社の最初の製品がApple Ⅱであり、そのコン

ピューターが採用していたプロセッサがこのMOS6502
だ。

　同じプログラム言語で書かれたソフトウェアを、発
展形の後継のプロセッサでも実行できたり、プログラ
ミングできたりすることを「互換性がある」という。
このため、ターミネーターのプロセッサは、MOS6502
のプログラムと互換性がある可能性がある。

POINT：サイバーダイン社の正体
ターミネーター T-101型は、Apple Ⅱのプロセッサ
と互換性のあるプロセッサを使っている可能性が
ある。サイバーダイン社の正体はもしかして……!?

リキッドメタルボディ
　第2作『ターミネーター2』（*Terminator 2: Judgment
Day*）に登場する新型のターミネーター・T-1000は、
液体金属で覆われている。われわれが住む地球の環境
では、液体に溶け込んでいる場合とか水銀など一部の
例外を除き、ほとんどの金属は常温では固体で存在す
る。では液体金属とはなんだろうか。実際の世界でも
いくつかの金属が液状で存在する。また、それを電気
信号などを用いて動かすことが研究されている。実際
に中国とオーストラリアの研究チームがアルミニウム
に似た金属であるガリウムを材料に、電気信号で液体

金属を制御する研究成果を発表している。研究者たちは、この映画のT-1000にインスピレーションを刺激された、とも言っている。

　次に、T-1000のボディの構造はどうなっているのだろうか。T-1000のボディは固まったり溶けたりを自由に繰り返す。刑務所の鉄格子をすり抜けたり、カマのようになった腕がちぎれたあと溶けて脚から戻るシーンや、ヘリコプターに穴をあけてもぐりこむシーンがある。冷凍されて固まったあと砕けるが、火花で溶け、一つにまとまっていくシーンもある。一見、すべてがリキッドのようにも見える。もし完全に個別にバラバラになるのだとしたら、プロセッサはどこに入っているのだろうか。

　一つの仮説として、ある程度小さなコアのようなものがボディの中心にあり、その周りを液体金属で覆うということが考えられる。『ターミネーター3』（*Terminator 3: Rise of the Machines*）に出てくるT-X（女性型ターミネーター）は、T-1000のようにリキッドメタルボディを持つが、内部には骨格があり、プラズマ砲というものすごく強力な武器を装備している。加速器の磁力に礫（はりつけ）になったときも、骨格の形状を維持したままだった。彼女（それ？）は、完全なリキッドのみで構成されているわけではないらしい。

　T-1000は、ほとんどばらばらになれるほど小さなクラスターであると考えるならどうだろう。とても小さ

なコンピューターがあればできるかもしれない。コンピューターを小型化する研究は現在でも密かに流行している。

　さまざまな研究があると思うが、筆者が直接目にしたことがあるのはIBMの花粉サイズコンピューターだ。サンフランシスコのビジネスカンファレンスに出席していたとき、先輩と飲んでいたら、小さなガラス瓶を取り出し「ここにあるのわかる?」と突然見せてくれた。瓶の底にフケのようなものが1つ。

「それなんですか」

「世界最小のコンピューター」

「……えっ?」

　大きめの血管なら流し込めるそうだ。というか、そんな大切なものをポケットに入れて持ち歩いていいのか……と思った。あまりに小さすぎて「見た」と言えるかどうかさえわからない。「30年前の某国産パソコンより性能高いよ」とか。そしてさらに、その後ミシガン大学がさらに小さいものを発表している。

　このような超小型のコンピューターの周りに液体金属の制御装置と液体金属をまとわせ、たくさんのユニットが協調動作するようにしたらT-1000のようなロボットが作れるのかもしれない。近年、東京オリンピック2020では数々のドローンが空を舞い、さまざまな映像を作り出していたが、まさにああいった制御状況だ。一つの液体金属クラスターを直径1cm程度まで分割で

きるようにすれば、映画の映像のような動作をするの
かもしれない。

　ところで、第1作の設定ではタイムマシンでは生き
物しか送れないとあったが、メタルボディはもはや生
態ではないと思う。転送装置もバージョンアップした
のだろうか。ならばなぜ裸の状態で来る必要があるん
だ？　などというツッコミはやめておこう。

POINT：液体に見えるロボット
**現代の研究はまだまだだが、液体金属と超小型コ
ンピューターの研究が進められている。協調動作
でT-1000のようなものが将来登場するかもしれ
ない**

無人で走るクルマ

『ターミネーター3』に出てくる女性ターミネーター・
T-Xには、他の機器を制御できる能力があり、逃走す
るジョンを無人のパトカーが追いかけてくる。さて、
これについて考えてみよう。この物語の時代設定は
2004年だ。

　自動車の開発者から聞いたことがある。「今日の最
新のクルマは、全部コンピューターで制御されている
から、センサーとプログラムさえできれば自動運転は
可能だ」という。EV（電気自動車）や、ハイブリッ

ド車の多くが、そのような状態だという。これはどう
いうことだろうか。

　自動車業界で最初に電子制御が始まったのはエンジ
ンの噴霧と点火だ。キャブレターから電子制御バルブ
と電子制御プラグに置き換わった。ミッションがマニ
ュアルからオートマチックになった時点で、ギアシフ
トは電子制御になった。回転数などを制御するのでア
クセルもペダルと直結しておらず、実は電子制御され
ている。これによりクルーズコントロールができる。走
るのに直接関係ないが、ドアロックも電子化された。
これはカギをポケットに入れたままで制御するキーレ
スエントリーなどをサポートするためだ。エコのため
エンジンのオートストップ機構が作られたことや、坂
道発進アシストで、エンジンの再起動、ゼロ発進、と
いう手順も自動化された。運転アシスト技術が発達し、
衝突防止の自動ブレーキができた。高速道路などでレ
ーンを越えないようにハンドルも左右に自動で制御
（レーン追従）されるようになっている。これで完成だ。
何度か自動車部品の展示会に行ったことがあるが、部
品メーカーはそういった運転操作装置に対する作用装
置（アクチュエーター）の展示に力を入れている。

　今日の、これらの装備がすべて備わっているクルマ
ならコンピューターを乗っ取れば無人で走る可能性が
あるそうだ。もちろん自動運転を行うには周辺認識の
ためのレーダーやカメラなどが必要だが、動かそうと

思えば動くのは確かだ。つまり、T-Xにはさまざまな機器の制御チップに潜り込むハッキング機能が搭載されていた可能性がある。

　2004年の設定時点で、米国のパトカーがそこまで電子制御化されていたかどうかは微妙だが、クルーズコントロールやレーン追従アシストは法律の問題もあって米国のほうが早くから導入されていた。私も出張の際に米国で運転したことが何度かあるが、かなり以前からクルーズコントロールは当たり前に使えた。実際可能だったかもしれない。

POINT：無人走行
現代の最新のフル電子制御の自動車なら、コンピューターを乗っ取れば無人で走らせられるかもしれない

無人バイク

　ジョン・コナーに扮するクリスチャン・ベールがかっこよすぎる『ターミネーター4』（*Terminator Salvation*）には「モト・ターミネーター」という二輪のロボットが出てくる。これがめちゃくちゃかっこいい。私も昔二輪乗りだったが、そうでない人にもかっこいいと思ってほしい。二輪ロボットのエンジン音がとてもかっこいい。ものすごく機敏で速そうだ。そりゃそうだ、

ムラタセイサク君
©村田製作所

上に人が乗っていないだけ軽いし空気抵抗も少ない。その二輪ロボットについて解説してみよう。

　小さな玩具としての二輪であれば、かなり以前からラジコン二輪がある。走らせるのは意外と簡単で、手で保持してタイヤを回転させ、放せば走り始める。一度走り始めたら意外とコケない。問題はゆっくり走れないこと、止まれないこと、だ。

　停止しても倒れない二輪といえば村田製作所が作った「ムラタセイサク君」がある。これは二輪ならではの装置ではなく、ハンドルは車と同じステアリングホイールで、腹部の風車のように見える回転車輪でバランスをとっている。なぜそんなことが可能なのだろうか。固いハンドルを回すことを考えてみてほしい。左

156

に回そうとすると自分自身は右へ倒れるように動くだろう。これは反作用の一種だ。ある程度軽いものを回転させるとしても、急激な加速度で回転速度を上げると反作用で反対方向へ回転しようとする力が働く。そこで、ロボットの中心に回転車輪を置き、微妙かつ高速に制御することで自転車に乗った人形が倒れないように制御することができる。

2017年にホンダが「倒れないバイク」を発表した。こちらは実際に人間が乗って走れる本当のオートバイだ。発売はされていないが、ビデオでデモ映像を流した。なんとこのバイク、デモ映像の中では無人でガレージから出てくる。ホンダによれば、ハンドルのクラウン角（フロントフォークと前輪を繋ぐ部分の角度）を深くし、ハンドルを左右に振ることでバランスをとっているということで、転倒回避などに応用することを考えているという。報道では「倒れない」となっているが、実際には倒れる。「無人でも自立できる」が正しいかと思う。その後、改良版が発表されたり、ヤマハからも同種のバイクが発表されたりしている。

問題は、倒れると簡単に壊れることと、倒れたあとに立ち上がるためにどうするか、ということだ。その部分が解決しないと、無人で走る二輪車は実現できない。というより、二輪車を無人で走らせる意味がわからない。ロボットとして自律走行するものを作るなら、もっと安定した四輪でよいではないか。現代社会では

二輪で走る価値が、四輪で走る価値を超えられていないのだろうと思う。しかし、モト・ターミネーターはハンターとしてとても役に立っているようだ。

POINT：必要は発明の母
必要があるなら、無人で走る二輪走行ロボットを作る技術はすでにある

戦うのは銃を持ったソルジャーか？
　ターミネーターは人間社会に潜り込んで人間を抹殺するのが役割で、そのために外装を肉で覆っている。本章でも何度か取り扱っているが、現代のテクノロジ

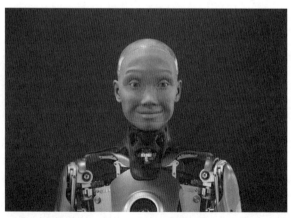

AMECA　写真＝Aflo

ーでは、そこまで人間と見分けがつかないほどのもの
は登場していない。

　2021年、AMECAというロボットが登場して話題に
なった。このロボットの表情の再現は非常にすばらし
く、これまで存在したロボットのどれよりも優れてい
る。すばらしいのは確かだが、人の中に入り込んでロ
ボットとは区別がつかない、というほどではない。研
究はまだまだこれからだ。

POINT：完全なる擬態
**ロボットが人の中にまぎれこんで見分けがつかな
いほどになるには、まだまだ道のりは長い**

ターミネーターの天敵

　ターミネーターシリーズの全編を通して、ロボット
軍団と戦っているのは銃などの武器を持ったソルジャ
ーだ。ディストピアSF映画としてはいたしかたない面
もあるだろうが、現実は少し違うかもしれない。

　『ターミネーター4』において「特殊な信号のデータ
を入手」するというシーンがある。このデータを使う
と、ターミネーターをシャットダウンする（スイッチ
を切る）ことができる、というのだ。たしかに、2体
のターミネーターで試したところ、シャットダウンさ
れた。実は、これが重要だ。

先に触れたように、近代の電子制御が進んだ自動車などはハッキングすることで動作させられる。逆に言えば、ターミネーターやスカイネットにハッキングしかえせばよいのだ。そうなると、人間側（反乱軍）にとって重要な戦士はITハッカー集団かもしれない。生き残っているホワイト・ハッカー（善い行いをするハッカー）を集め、スカイネットにハッキングをするのが重要な作戦となろう。

　『ターミネーター2』で、まだ若いジョンが銀行ATMやドアキーシステムをハッキングするシーンがある。ジョンはやはりそういう教育を受けていたのだろう。クレジットカードやドアの暗証番号を総当たりで見つけるようなシーンがある。暗証番号などを総当たりで探す手法をブルートフォース攻撃という。日本語でいうなら「力ずく」のような意味で、古典的なハッキングテクニックである。今日の多くのシステムはブルートフォース攻撃に対策されているのでご心配なく。

POINT: ターミネーターのライバル
ターミネーターやスカイネットと、ITハッカーが戦うべきかもしれない

軍事AIは襲ってくる？

　『ターミネーター』シリーズに一貫している背景は、米

国の軍事システムがすべて AI に乗っ取られることから始まる。「審判の日」は AI のスカイネットが「人間を抹殺すべし」と判断したことが原因で引き起こされた。

　今日の軍事 AI において注目されているのは、無人運転のような話が多い。開発国は貴重な兵士らの人的被害なしにチャレンジングな作戦を展開したい。数年前までは無人偵察機の遠隔操作が最先端だった。無線操縦のドローンを遠隔地から飛ばし、ミサイルを運んだり、偵察したりする。人が乗らない分小型化できるし、地対空ミサイルなどで撃ち落とされても捕虜や死者を出さずに済む。これが、さらに進んで今日のドローンは自律制御できるようになってきた。通信が切れても自律で任務を遂行できるから都合がよい。放ってしまえば操縦者も要らない。

　背景になる技術を挙げてみよう。まず自律行動の技術。障害物をよけるためのさまざまなセンサーを活用した対象物認識技術、周囲の状況を読み取る SLAM技術、行動計画の最適化を行う技術、クルマの姿勢を制御する技術。航空機においても、クアッドコプターなどの発展により、航空機の姿勢制御技術などが組み合わされて、自律制御技術の発展は目覚ましい。

　2020年、シミュレーション上での架空バトルではあるが、AI が F-16 のパイロットとドッグファイトで勝利した。

　自律制御の開発にシミュレーション技術は欠かせな

い。今日、ロボット動作の開発が急激に進んだのは、非常に精度の高いシミュレーション技術のおかげだ。シミュレーション技術がないと、実際のロボット、クルマ、航空機を作り、実際に歩かせ、走らせ、飛ばさなければいけない。コストと時間もかかるし、失敗するたびに大きな損害が出る。シミュレーション技術で制御アルゴリズムを開発することで、納期が短縮化されるし、深層学習などにおいては、繰り返すことが可能になるため精度を上げられる。モータースポーツのフォーミュラワン（F1）でも、エンジンの開発に重要な役割を担っているのがエンジンへの負荷をシミュレーションする「ダイナモ（発電機の意味で知られているが、負荷装置のこと）」という技術だったりする。

　これらのAIの利用は、一つひとつの制御に関係するものだ。ドローンを無人で飛ばす、偵察ロボットを無人で歩かせるといったことだけでなく、少し発展して銃撃やロケットの標的対象物を決定することなどにも使われようとしている。

　ところで、過去のいくつかの事例に、現場での突然の、不用意な攻撃が戦争の口火を切っていると歴史に記録されているものがある。本当に事故のように起きたのか、陰謀なのではないか、とか、諸説あるだろうが、私は歴史学者ではないので触れない。しかし、誤動作を含めてロボットが判断を誤ることで、戦争に発展することは否定できないだろう。そのような背景か

らか「非人道的な兵器を規制する特定通常兵器使用禁止制限条約（CCW）の締約国が、人工知能（AI）により自律的に人間を殺傷する兵器に関する初の国際指針で合意」という報道もある。撃つのか、撃たないのか、まだAIには任せられないという世界の判断だ。

『ターミネーター2』で、スカイネットの基礎技術を作った技術者とされるマイルズ・ダイソンが登場し、サラ・コナー、ジョン・コナーとともに研究成果の参考になった腕部分の残骸を破壊すべく行動する。彼は基本的な技術を作ったにすぎず、人間を抹殺することを計画したわけではない。多くの科学が戦争などと関係なく開発され、結果的に戦争で利用されてしまう。AIのように判断をつかさどるテクノロジーでは、研究開発者が発端であると解釈されてしまうのだろうか？

　AI軍団と人間の間で戦争が起きるとしたら、どういう場合だろうか。それには2つの条件がある。1つはAIが全権を掌握すること。もう1つは、AIが目の前にある事象だけでなく、広範囲かつ長期間に関する大局を処理するようになることだ。この2つを達成することは現代のテクノロジーでもなかなか難しい。「審判の日」が起こることは核ミサイルの発射制御をAIが行うことで起こりえるが、戦争を続けるにはいささか問題が残る。それは資源とエネルギーだ。軍事活動を長期にわたって継続するには、金属、石油、繊維などさまざまなものを入手する必要がある。ロボット軍団が、

それらをすべて自前で準備できるとは思えない。

　まだ議論は始まったばかりだが、決してAIと人間が敵対するようなことが無いよう、見守らなければならないだろう。

第9章

『攻殻機動隊』

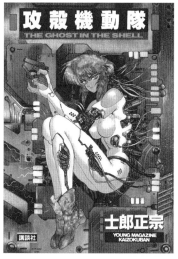

1989年
『ヤングマガジン海賊版』初出
著者：士郎正宗
講談社

『攻殻機動隊』シリーズは、近未来を舞台にした士郎正宗による原作漫画およびそこから派生したアニメ映画、TVアニメの作品群である。

1995年の映画『GHOST IN THE SHELL/攻殻機動隊』はアニメ史上初めて世界同時公開という金字塔を打ち建てた。本稿では、原作漫画、初期映画、アニメ『攻殻機動隊 STAND ALONE COMPLEX』（以下『S.A.C.』）などから、有名なエピソードや基礎となっているテクノロジーなどについて解説していく。

主人公は草薙素子。人工の身体「義体」を持つ「公安9課」のメンバーである。作中の公安は、総理大臣直轄で非常に大きな権限を持つ警察の一部門として設定されている。各話の題材は政治的舞台における裏社会の陰謀などの事件が多い。人類の多くは身体の一部、あるいは全身を義体に換装しており、ネットワークに接続されているという世界観の作品だ。他に中心的な登場人物として9課課長の荒巻大輔、長年の相棒バトー、若年のトグサなどがいる。

多くの設定が、現代のテクノロジーでは実現しようがないものである。たとえば、脳と人格を義体と呼ばれる人工身体に移植する行為や、ネットワークを通して他人の意識に潜る（ダイブする）、というようなものだ。だが、その周辺に関する研究や技術の現状について解説してみようと思う。また本稿では、戦闘メカの機能などについて解説していきたい。

脳の移植、全身の人工身体化、意識や記憶の操作、と科学技術がものすごく発達した社会を描いているが、登場する武器類は強力ではあるものの現代のものとそれほど変わらず、ビーム砲とかレーザーブレードとかいうものは登場しない。ヘリコプターも意外と普通のローターで飛ぶタイプである。『S.A.C.』にはオスプレイと思われる機体さえも登場する。情景には上海を思わせるものが多く、エキゾチック感を醸し出している。高度に発達した技術と、今っぽい泥臭さの混在が、より複雑な世界観を創り出しているともいえる。

　余談ではあるが、2017年の実写版映画で主人公を演じるスカーレット・ヨハンソンが乗っていたバイクは実際に走ることができるバイクで、私が以前勤めていたバイクメーカーグループが提供したものだ。原宿にあったデザインセンターにしばらく飾ってあったことがあり、スカーレット・ヨハンソンもまたがったであろうそのシートにまたがらせてもらったことがある。スカーレット・ヨハンソンの身体は、そのとき義体だったかもしれないが……。

光学迷彩

　光学迷彩とは特殊な膜で物体を覆うことで透明になり、外見上は存在が「見えない」ようにする技術で、さまざまなところでストーリーにからんでくる。光学迷彩は、いろいろなSF作品、ファンタジー作品（魔

法ものなど）で登場するが、実現されていない技術である。『攻殻機動隊』以外にも、映画『プレデター』や『007/ダイ・アナザー・デイ』のボンドカー（アストンマーチン V12 ヴァンキッシュ）などでその技術を味わうことができる。少し毛色は違うが、人が透明になってしまう『インビジブル』という映画もあった。技術的に困難な点と、最新の研究などを引用して解説してみようと思う。

　慶應義塾大学が運転者から後部座席が透き通って見えるシステムを開発したことがある。車体後部にカメラをつけ、その映像を後部座席に投影するというものだ。といっても座席は映像を投影するのに適した真っ平なスクリーンではない。そこで活用したのが「再帰性反射材」という素材。どのような角度で光があたっても、同じ方向に跳ね返る性質を持った球状の物質を表面に並べたものだ。夜行性動物の視細胞と同じで、夜間の暗闇でも光って見えやすい性質を持つため、工事用ジャケットの反射材や、ガードレールなどに使われている。これを使うことで、バックシートのように凹凸のはげしい物体がスクリーンとして機能し、プロジェクターでバックモニターカメラの映像を投影するというしかけだ。自動車でバックする際に後ろを振り向くと、後部座席に映像が浮かび上がり、透き通ってむこうが見えているような状態になる。

「光学ステルス技術」というものもある。多くのもの

はアクリル板などでできており、光の屈折を利用してすぐ後ろにある物体を背景と似た像で覆い隠す。これは電子回路などで実現しているわけではないので電力がいらず、常設が可能だろう。もっと古い技術にすりガラスがあるが、それの発展技術のようなものだ。

　私の理解では、光学迷彩のようなテクノロジーの実現において、最も大きな障壁になるのは「画角」である。これは、3Dイメージなどを専門にしている人なら瞬時に理解することだと思う。物を視覚、つまり光学映像センサー（人間の臓器で言えば目）でとらえるとき、主体は空間を「ある一点」から見ようとする。その時「その位置からだと空間がどのように見えるか」が「画角」であると考えていただきたい。

「自分を透明にするテクノロジー」を作ろうとしたとき、「透明になりたい」物体と、「それを観察している」もの——つまり「見ている」もの（通常は人間）の視点の位置が異なれば、当然「見えるもの」「見えないもの」が異なることになる。また、見ている位置によって、角度などの見え方もまったく異なるのだ。たとえば自分の位置にカメラを設置し、その映像を反対側に表示しても、視点が異なるものが表示されてしまうので「透き通って見えない」ことになる。

　立体的なものがどの方向から見ても透けて見える、つまり反対側から見えているものが映像として再現できるようにするには、二つのテクノロジーが必要だと

考える。一つは「どの角度から見ても、その視点に適した映像を作ること」と「どの視点に対しても適切な映像のみを送ること」だ。前者の技術は大量のカメラを使うことで徐々にできるようになってきている。これを「自由視点映像」という。2018年の平昌オリンピックのスノーボード競技や、最近では野球中継などにも使われている。後者はホログラム映像技術などで研究が進んでいる。どこから見ても、その視点に適した映像を目に送る技術だ。

POINT：画角と光学迷彩

光学迷彩を実現する鍵は、観察者の視点に対する画角の調整が握っている

義体・電脳・ゴースト

　本作品の世界観の中心となるテクノロジーが「義体」である。義体とは擬似の身体のことであり、サイボーグという言葉もところどころで使われている。ロボットやアンドロイドとの違いは「人の脳が内蔵される」ことだ。「部分義体化」「完全義体化」という言葉も登場するが、それはいわゆるサイボーグ化ということになるだろう。

　課長の荒巻は最初の映画では手に持つトランシーバーのようなもので通信しているため義体化が少ないよ

うだが、『S.A.C.』においては首にデバイスをつけており、ケーブルを結合して動画を観ることができているため、より義体化をした設定になっているようだ。

　また、義体化している者同士は無線で意思疎通ができるようになっているが、「有線する」という言葉も登場する。容疑者の脳に潜り込む「ダイブ」を行う際などに直接線をつなぐのだ。頭の中で他人と電話しているような雰囲気であるが、直接線でつなぐことでより大容量の通信ができるところは近年のネットワークと似た感覚かもしれない。

　脳の信号を直接コンピューターシステムなどと接続しようとする試みはブレイン・マシン・インターフェース（BMI）と呼ばれる。第4章でも触れたが、人が頭に電極をつけて「チョキ」などと思い浮かべると、ホンダのASIMOがチョキを出してじゃんけんができる、という研究を観たことがあるが、考えてから10分以上もかかるという時代だった。そのように頭皮の上からなんらかのセンサーをつけることで脳波を読み取ろうとする方法を「非侵襲型」といい、脳に直接電極などを入れるものを「侵襲型」という。近年では侵襲型の脳波研究が増えてきている。2021年にFacebookが、脳卒中で会話能力に問題のある被験者に侵襲型の装置をつけることである程度の会話が可能な研究を発表して注目された。こういった研究が進めば、いずれ人間同士がネットワークで繋がって口を使わずに会話

できる日が来るかもしれない。

POINT：脳信号とネットワーク
脳の通信技術は徐々に研究が進められている

人工の身体

　現代のテクノロジーでは、義足が最も義体化に近づいているといえるだろう。足首から先を失ったMITのヒュー・ハー教授は、自らが被検体となり義足を研究している。MITメディアラボのイベントに参加したとき、実際に彼がその人工の足で歩きながら講演するのを観たことがある。

　義足の発展の方向性は二つの方向に分かれているように思う。一つはヒュー・ハー博士のように「普通に歩きたい」という目的のもの。研究チームのメンバーは「この研究は博士自身のための研究、博士自身が最大のクライアント」と言っていた。彼は講演時にはデモンストレーションとして足を露わにして登場するが、もし靴と長いパンツで完全に隠してしまったら誰も気づかないかもしれない。もう一つは高い運動性能を求めたものだ。その代表的なものがカーボンの板バネを使った義足で、パラリンピックの陸上競技などで普通に目にするようになった。

　その他には人工血管、人工関節、人工の歯（インプ

ラント）などが挙げられるが、どれも失われたり機能しなくなったものを補うための非常に小さなパーツである。

POINT：人体の代替物
身体の一部を補う擬似身体パーツは実在するが非常に限定的なものである

完全義体化とアンドロイド

　完全義体化を行うには、全身が人工物で構成されなければならない。これはアンドロイド、つまりロボットとほぼ同義であり、そこに「ゴースト」（これについては次項で詳しく触れる）を持った脳核を入れれば「完全義体化」ということになる。

　人の形をしたロボットシステムのことを「ヒューマノイド」と言うが、Tesla社が発表した「Optimus」が話題になっている。二足歩行できるヒューマノイド研究は、ホンダのASIMO、産業技術総合研究所のHRPシリーズ、Boston Dynamics社のAtlasなどが有名だろうか。Atlasはバク宙やパルクール（フランスで生まれたアクロバティックスポーツ）をこなすなど身体能力が日に日に高くなっている。残念ながらどれも外見はロボット然としており、あれに自分が入り込みたいとは正直思えない。

自律動作させる運動能力の研究とは別に、外見をいかに本物に近づけるか、という研究も別に進められている。日本国内では大阪大学石黒研究室で開発された石黒浩教授自身のロボットや、マツコロイドなどが有名だ。ウレタンとシリコンの皮膚でできており、ぱっと見た瞬間は本物に思えるほどの出来栄えである。

　機能性を重視したロボットにも、液体や粉塵からメカニズムを守るために外皮が必要な場合がある。シリコンの皮膚だけでは柔軟性に欠け、非常に小さな動作にしか対応できない。動物の皮膚はその点よくできているのだ。東京大学大学院の竹内昌治教授らは関節を持った人工の指に人工の皮膚を被せて動かす研究を発表している。

　工学的研究ではないが、着用可能なテキスタイルになる特殊素材「ファブリカン」のスプレーというものも話題となった。ファッションショーでほぼ全裸のモデルが登場し、観客の前でスプレーされるとそのスプレーがそのまま衣服のようになる、という演出だ。あれはロボットの外皮を作るのに応用できるのではないかと筆者は考えている。

POINT：ロボット開発の目的
現代のロボット・アンドロイド研究では身体能力
と外見は個別に研究されている

ゴーストの存在

　作品の中でもゴーストがなんであるかは明確にされておらず、人間の脳に存在し、アンドロイドやロボットには存在しないというもので、心や魂のようなものと考えられる。人類の科学が解明できているすべてのものをもってしても説明できない可能性があるのではないかと筆者は考えている。たとえば、人間の体は物質でできており、神経ネットワークに電気信号が走ることで記憶やその組み合わせで人格ができる、と考えられているが、もっと未知のもの、解明されていないもの——たとえば量子やダークマターが身体にからみついていて、人類の科学では観察できないもの——によって、より緻密なネットワークを構成しており、それらが記憶や人格を形成しているかもしれない。そうすると、その入れ物となっている物質で構成されている身体がなくなっても、空間にそれが残る可能性はあり、それが「幽霊」とされているものかもしれない。攻殻機動隊作品の言葉で言えば、まさに「ゴースト」だ。

　そのように考えると、物質、電子、プログラムで構成された正体不明のハッカー「人形使い」に「ゴーストは宿らない」とする草薙の考えは正しいかもしれない。義体に入れられた、もとは人間の脳核にのみ、ゴーストは存在するのかもしれない。そして、人格がどのようなメカニズムで作られているかは現代科学では

解明されていないため、それを説明するのは難しい。

POINT：ゴーストのありか
**ゴーストの存在メカニズムを現代科学で解説する
ことは難しい**

脳の移植

　人格、精神、魂といったものは、現代科学では脳神経の情報処理活動によって作られていると考えるのが一般的であろう。そのため、多くのSF作品では脳を取り出してロボットに移植する。一部の作品では脊髄までを一緒に移植するという拡張した考え方もしている。しかし残念ながら現代の最新のテクノロジーをもってしても、脳および脊髄のみを取り出して人工の機器に接続して生かしておくことはできない。

　私たちのような動物が生き続けるには内臓が必要だ。むしろ逆に、脳がなくなっても内臓だけで生きる植物状態は起こり得る（ただし、自発呼吸しなくなるためそれを機械でおぎなう必要はある）。つまり「機械に繋がった胴体」は実現できるが「機械に繋がった脳」は実現できないという状況なので「脳を移植する」は今日でも十分にSFなのである。

　ところで、最近の研究において、多くの感情は内臓、特に消化器に大きく影響されていると言われているそ

うだ。そもそも、初期の多細胞生物は消化器が最初に作られ、そのまわりにあった神経系が発達し脳が作られるようになったため、生物のコアは消化器だということらしい。

また、腸の中には非常に多くの腸内細菌がおり、連携して消化を行っている。腸内細菌は生命活動になくてはならないもので、必要な栄養素を要求するために多くの伝達物質を出す。つまり、腸、および腸内細菌が感情にたくさん働きかけているということだ。言葉を換えれば「人の感情を司っているのは腸」という大胆な学説さえある。そういえば日本語にも「腑に落ちる」「腹が立つ」「腹にすえかねる」「腹黒い」と感情とお腹にはさまざまな関係があることを表す言葉が意外と多い。

POINT：脳と消化器官
人の感情をロボットに移植するには、脳と腸を一緒に移植しないといけないのかもしれない

笑い男

「笑い男」は、『S.A.C.』エピソード4「視覚素子は笑う INTERCEPTER」、5「マネキドリは謡う DECOY」、6「模倣者は踊る MEME」、9「ネットの闇に棲む男 CHAT! CHAT! CHAT!」など多くの話に登場する、

ハッカーおよび企業テロ事件のことである。犯人不明のこの事件では映像ハッキングが一つの話題となっている。笑い男事件は『S.A.C.』で長きにわたり話題となってきたエピソードであり、話は複雑でさまざまなところでその理解が議論になっている。ここでは、笑い男事件の真相などには触れず、現代のテクノロジーで解説しやすいところで、映像などに映った人間の顔に特定のマークを載せる技術について解説する。

　人の顔を他のものに置き換える技術は、街角のプリクラのようなシステム、スマホアプリ、ビデオ会議システムなどで、読者のみなさんにもすでにおなじみだと思う。これにはいくつかの方式がある。

　一つは、顔検出技術によって画像の上に顔を発見し、その矩形を同定する。その位置にあらかじめ用意してある画像——たとえば笑い男マーク——を上書きすればよい。このようなものは一般のプログラムの中でもすでに出回っており、OpenCV というオープンソースソフトウェアを使い、cv::FaceDetectorYN や cv::FaceRecognizerSF といった API（Application Programming Interface）を使えば、顔を画像から発見してもらえる。筆者もこれより少し古い技術で人の顔を笑い男のアイコンに置き換えるプログラムを書いたことがある。

　別の方法として敵対的生成ネットワーク（Generative Adversarial Networks：GANs）の利用が考えられる。これは第7章でも紹介したディープフェイクに使われ

ている技術で、まったく別の人物の顔に置き換えることさえできる。ただし、笑い男のようなアイコンの置き換えに使うにはオーバースペックである。

> **POINT：顔検出技術**
> **画像の人の顔を笑い男マークに置き換えるのは意外と簡単**

人形使い

「人形使い」は世界的原点となった1995年の映画版に登場する架空のハッカーの「人格」である。原作漫画や映画で「それ」は自身を「生命体」と呼ぶが、ここでは人格と呼ばせてもらう。この人格は前述のゴーストではなく、コンピュータープログラムの中に自然発生した人格、という設定である。

　人形使いの発言に次のようなものがある。
「生命は結節点のようなもの」
「人は記憶で保持される」
「情報の海で生まれた生命体」
　地球における自然の生命体とはなんだろう。少なくとも現在の生物学において、DNAなどを使い複製できる、膜を持った存在が「生命体」と定義されているそうだ。この説明だけを聞くと、その一つが「生命体」と聞こえるが、ほぼすべての生命体はなんらかの形で

クラスターを作ったり、同様の他の個体と関わり合いを持ったりしないと生命活動を維持できない。このため「結節点のようなもの」と表現されているのだろうと感じる。

「記憶で保持される」とは、「人格」に、より注目した発言と考えられる。多重人格のある人は、それぞれ異なる記憶を異なる線の上に並べた記憶で人格が形成されるそうだ。自動車の運転の仕方や言葉など行動能力のような基本記憶は異なる人格同士で共有し、思い出や好き嫌いのもとになる記憶をそれぞれ持つ。トラウマになった悲惨な記憶を切り離すために多重人格になる、という説もあるそうだ。

　そしてテクノロジー的に重要な発言が「情報の海で生まれた」というものだ。情報の海とはICT（Information and Communication Technology）のことであると想像できるため、現代のICT、あるいはAI技術の中で生命体の研究・開発がどのように行われているか触れてみよう。

AIにとって人格とは

　今日存在する大きな勘違いがAI（人工知能）だ。「AIはヒトより賢い人工人格」と思っている人は世の中に多いと思う。本書で繰り返し語っているが、残念ながら現代のAIはそのようなものではない。現代のAIのほとんどは「分類器（classifier）」と呼ばれるも

のだ。例を挙げて説明しよう。自動販売機に硬貨を入れる穴が空いているが、あそこに入れられる硬貨の種類は決まっている。受け付けるものは10円玉、50円玉、100円玉、500円玉だとする。そこに1円玉、5円玉、偽の硬貨などを入れると返却口に落ちてしまうが、それらは「その他」に分類される。この場合、5種類に分類している分類器である。現代のAIの多くがやっていることは、これと大きく違わない。

「猫の写真を多くの写真から認識できるAI」というのが、今日のAIブームの火付け役になった1つである。これは、「二値分類」というもので、恐れずに言えば自動販売機のコイン分類器より単純である。「猫か、そうでないか」なので2値である。ところが、テクノロジーとしては最先端である。なぜか。

硬貨の分類には「重さ」「直径」「厚み」が重要な情報である。しかし、それだけだと偽造されやすいので、表面のギザギザや絵柄、穴などを条件として加える。自動販売機のセンサーは微妙なあいまいさを見分ける必要がない。流通されている硬貨の形状や材質（質量）は、非常に精密に作られているからだ。

ところが猫を識別するための入力となる画像は精密ではない。猫が映り込んでいる場所や大きさはさまざまだし、そもそも猫は種類や個体で異なる。大きさも、柄も、色も、毛の質感もそれぞれまったく異なる。それを「これは猫」と分類しなくてはならないのだから、

「厚みは1.8mm±0.05mm」みたいに決められないのだ。ところが現代の「深層学習AI」と呼ばれるテクノロジーは、そのような「あいまいな」特徴を持つものを分類できるようになった。これが、今日のAIブームの火付け役になった「深層学習」テクノロジーだ。

さて「人工人格」に話を戻そう。ITやAI技術で人格が作れるか、という議論は非常に多くの研究現場で行われているが「こうすればできる」という明確な答えは出ていない。なぜなら、そもそも人格がどのように形成され、実現されているのかが科学的根拠にもとづいて解明されていないからだ。解明されていないのだから、どのように実現すればよいかわかるはずもない。

本項の冒頭で説明したように、今日流行しているAIのほとんどが分類器である。なぜこれをAIと呼ぶかというと、動物のニューロンの動作にヒントを得て「どのクラスに当てはまるか」の確率を、統計を使って計算しているためである。人工ニューロンという名称もあり、そこから「人工的に作られた神経細胞」のようなイメージがついている。「このような人工ニューロンを大量に集めてネットワーク化すると、脳のような働きになり、いずれはそこに人格が形成される」という主張をする研究者もいるが、そもそもニューロンのネットワークだけで人格や魂のようなものが形成されているかどうかさえわかっていない。

> POINT：人格や魂は生まれるか
> **今日のAI（人工知能）技術の延長で人格が現れる**
> **かどうかは未知である**

　攻殻機動隊の世界観を作り上げている、光学迷彩、
義体、ゴースト、脳の移植といった技術に関して解説
してみた。これらの技術は現代の技術からすると未知
の領域であり、多くの科学者、技術者が夢見ているが
実現はまだまだ遠いものである。技術としては夢があ
りチャレンジしがいはあるが、作品を観ていると「そ
うなることが本当に幸せ」かどうか、それさえも問い
かけてくる。それでも科学者は、追求し続けるのだ。

おわりに

『バビル２世』を題材にした最初の記事の発表が2017年なので、これを書いている現在、すでに６年が経過した。昭和の古いSF作品のみを題材にするつもりでいたが、最近の作品であれば、若い世代の人も読んで楽しめることであろう。というわけで、海外映画など、現在も続編が発表され続けているものを加えていった。

私は通学や通勤が嫌いだったので、学生時代は研究室で自分用に買ってもらったPC-8801 mkIIを自宅に持ち帰り、こたつの上に設置して家でロボットの制御プログラムを書いた。そのころから今で言う引きこもりやノマドといったスタイルが自分のものになったのかもしれない。

IBM時代には、あるソフトウェアの開発リーダーだった1995年ころに、会社には制度がなかったにもかかわらず課長の許諾を得て自宅でプログラム開発をしていた。当時ノートパソコンはまだ一般的ではなかったのだ。最初のころは、保険営業向けに特別に開発された、アナログ電話を使うダイヤルアップ式モデムが内蔵されたメインフレーム端末を会社内で入手し、自宅から会社のメインフレーム機にダイヤルアップ接続して使っていた。

その後、GATEWAY 2000 486DX2-66LBという巨

大なパソコンをアメリカから個人輸入し、自宅で仕事をした。ブラウン管モニター（CRT）も同梱された箱があまりに大きく、妻からは「アメリカから冷蔵庫かなにかが届いた」と言われた。Linuxをビルドしたり、OS2やWindowsを並行して動かしてC/C++でプログラミングをしたり、さまざまなスキルの基礎をそのころ自宅で構築した。会社の中で多くの制約に縛られているように感じていたので、自費でそのような活動をするのは、実力で状況を打開するために必要だった。そのあとくらいからThinkPad時代となり、2001年の米国テロ以降、在宅勤務が急激に一般的になった。

　ホンダ・リサーチ・インスティチュートでは管理職に就いたので自宅にこもっているわけにもいかず、毎日3時間 以上もかけて通勤することになり、これは早くやめたかった。ウェブ連載の執筆を始めた当初はまだ会社に勤務していたため、記事の発表には「申請」も必要で、そこにもいくらか不自由さを感じていた。現在は独立開業し、小さいころ『2001年宇宙の旅』をはじめとしたSF映画に刺激を受けて夢見た「喋るコンピューターシステム」を作ることを本業とすることができている。

　直近の話になるが、2022年3月にシステム情報科学博士号を取得した。55歳の時である。

　中学時代に家庭の経済事情が最悪の状態となり、高卒で働くことが前提となった。工業高校に進学するこ

とも考えたが、一般の高校より偏差値が高く、学費が安く、奨学金ももらえることがわかって、国立の技術高専に進み、5年間を過ごした。当時は「高専卒は大卒より高く評価されることがある」という大人たちの言葉を鵜呑みにし、社会人になってしまえば、あとは実力次第だと思っていた。

しかし現実には、残念ながら「高く評価される」と「良い待遇」は別物であった。社会人になって、大卒生、院卒生、と比較してさまざまな面で「遅れ」のようなものを感じることが増えた。特に入社したころは、会社のさまざまな制度に書かれていた「4年制大学卒業者のみ対象」という制約によく悩まされた。研究所の人たちと一緒に活動するようになったころには、自分の数学の知識の稚拙さや、学術活動への理解不足に慄然とした。

何人かの知り合いから「自分もすごい貧困家庭だったけど、自治体の支援制度と奨学金のおかげで大学院まで行った」という言葉を聞いて、中学生のときに「どうやったら大学や大学院に行けるか」と考えず、「さっさと卒業して、社会人になってお金を自分で稼ぎたい」と安易に考えた貧乏性の自分を恥じたものだ。そんな自分への贖罪のために、高齢になってからではあるが、大学院に入り、学位をとった。

浪人や留年をしなければ27歳くらいで取れる学位なので、28年ほど遅れた学位取得である。ただし、高専

卒（準学士）からなのでかなりの飛び級ではある。研究内容は「音声対話のための言語処理の語彙獲得手法」であり、学位も現在の職業も、音声対話を主題としている。もちろん、この学位は28年前には取ることはできなかったので、これも良き巡り合わせであろう。

　実際に開業する前は、自宅で延々作業する毎日を想像していたが、新型コロナのせいで世間全体がそうなってしまったのは予期せぬことだった。ビデオ会議が一般的になってくれたおかげで出かけなくて済むようになったのはありがたい。よくよく考えれば、テレビ電話とかビデオ会議なんてSFそのものだったのだが、今日、世間一般の人が普通に使うものになった。

　過去のSF作品を読み解くことで感じている2つのことがある。テクノロジーがどこから広まるか、とインフラの重要性だ。

　SF作品が一般的になったのは大正から昭和の時代だろう。私が中学校のころSF小説ブームがあって『ペリー・ローダン』シリーズ、『夏への扉』などSF小説は学校で話題になっていた。本書でも取り上げた『ブレードランナー』も『アンドロイドは電気羊の夢を見るか?』という1960年代のSF小説が原作となっている。このころ、最先端のテクノロジーは軍事関連の研究現場で作られていた。コンピューター技術が発展したのも、宇宙開発が発展したのも、その背景にはミサイルの弾道計算が関係している。今、世界中で使われ

ているインターネットも、もともとは「核攻撃により分断されても活動しつづけるネットワーク」として冷戦時代に米軍で発明された。GPSもカーナビゲーションも、もともと戦車に搭載されていたものをホンダの創設者、本田宗一郎のアイデアで自動車に転用したことが始まりだった。先進的なコンピューターシステムに触れるには、米軍と取引のあるIBMのような企業に勤めるか、IBMシステムを利用している企業に入るか、しかなかった。

ところが近年は逆転現象が起きている。先進的なものはまず一般消費者に投入され、それが徐々に企業などで使われるようになってきている。その始まりとなったのはパソコンだ。初期のものはIBM-PCとApple IIであろうが、どちらも高額だったとはいえ一般消費者向けに発売された。その後、パソコンは業務用としても浸透していく。インターネット、スマートフォンなども、まずは家庭に浸透し、徐々に企業で使われるようになった。その資金はロングテールというビジネスモデルから来ており、軍事予算より大きい。

次にインフラの重要性だ。旧来のSF作品では、デバイスを重要視していた。登場人物がなにやらすごい機器を持っていると、なんでも可能になるという描写が多い。通信装置がその代表格であり、SFヒーローなどはものすごい通信装置を持っていて地球中、あるいは宇宙空間でも、どこでも交信できる。ロボットや

アンドロイドも、どこにいても通信できる。タイムスリップなどしても、状況は変化しない。

　現代になって当時SFの世界にしか存在しなかった小型の電話が普及し、ビデオ通話も当たり前になった。しかしこれらの実現にはデバイスだけではなく、インフラが重要な役割を担っている。もし現代の携帯電話を持って昭和にタイムスリップしても、昭和時代では使えない。携帯電話網が存在しないからだ。このインフラの重要性は昭和のSF作品ではあまり予想されてこなかった。なぜなら、当時の遠距離通信はトランシーバー的な直接通信であり、現代に普及している多段中継型のネットワークではなかったからである。

　SF作品に登場した、当時から観た未来のテクノロジーは、いくらか実現したが、まだまだ実現されていないものも多い。テクノロジーの実現のされかたや、支えるインフラの考え方は異なるものではあるが、SF作品の夢の実現が確実にわれわれの生活を豊かにし、欠かせないものとなっているのは確かである。まだ実現できていない技術を世界中の科学者や技術者が日々研究開発している。これからも新たにSF技術が実現され発表されることをわくわくしながら探求すると共に、私自身もその一角を担いたく、これからも努力を続けたいと思う。

本書はITエキスパートのための問題解決メディア
「＠IT」で連載された「テクノロジー名作劇場」をもとに、
加筆・修正したものです。

＠IT　テクノロジー名作劇場
https://atmarkit.itmedia.co.jp/ait/series/6184/

米持幸寿（よねもち ゆきひさ）

システム情報科学博士。1966年、埼玉県生まれ。1987年日本アイ・ビー・エム入社後、自動運用ソフトウェア開発、先進テクノロジー利用の提案・試行案件の技術サポート、講演・執筆活動などを経たあと東京基礎研究所研究員を経験。2015年から2019年までホンダ・リサーチ・インスティチュート・ジャパンで実用化リエンジニアリングMgr、研究戦略室長などを務め、2020年2月にPandrbox（パンドラボックス）を創業。現在は同代表として、音声対話インターフェースの研究・開発に携わっている。

あのSFはどこまで実現できるのか

テクノロジー名作劇場

2023年2月12日　第1刷発行　　　　　インターナショナル新書118

著　者	米持 幸寿（よねもち ゆきひさ）
発行者	岩瀬 朗
発行所	株式会社 集英社インターナショナル
	〒101-0064 東京都千代田区神田猿楽町1-5-18
	電話 03-5211-2630
発売所	株式会社 集英社
	〒101-8050 東京都千代田区一ツ橋2-5-10
	電話 03-3230-6080（読者係）
	03-3230-6393（販売部）書店専用
装　幀	アルビレオ
印刷所	大日本印刷株式会社
製本所	大日本印刷株式会社

©2023 Yonemochi Yukihisa　　　Printed in Japan
ISBN978-4-7976-8118-5 C0276